創新的兩難

The Innovator's Dilemma

When New Technologies Cause great firms to Fail

克雷頓・克里斯汀生—著
吳凱琳—譯

目錄

創新的兩難

The Innovator's Dilemma

〈推薦序〉不斷創新、主動出擊／尤克強 7

前言 領導企業的兩難 13

第一部 績優企業爲何失敗 33

第一章 硬碟產業的啓示 35

硬碟的運作原理／最早的硬碟／科技變革的衝擊／延續性科技變革／突破性科技的失敗／結論

第二章 價值網絡與創新刺激 65

由組織及管理面尋找失敗的原因／以能力與激進科技作解釋／價值網絡對硬碟產業的全新詮釋／科技S型曲線與價值網絡／管理決策的制定與突破性科技／快閃記憶體價值網絡／價值網絡對於創新的意義

第三章　突破性科技與挖土機產業　101
延續性科技的領導企業／突破性液壓科技的衝擊／既有企業對液壓技術的回應／電纜與液壓之間的抉擇／液壓科技的結果與意義
第四章　向下移轉的麻木　119
東北角大遷移／價值網絡與成本結構／資源分配與向上轉移／一・八吋硬碟的實例／價值網絡與市場能見度／向東北方前進的整合型鋼鐵廠／薄板鑄造技術

第二部　管理突破性科技　143

第五章　成立專責的組織　145
創新與資源分配／突破性硬碟科技的成功／突破性科技與資源依賴理論／迪吉多、IBM與個人電腦／Kresge、Woolworth和折扣零售店／自殺以求生存／突破性科技的組織意涵／結論
第六章　組織規模需符合市場規模　173
領導地位重要嗎？／企業規模與突破性科技領導地位／提升新興市場的成長率／等候市場規模成長／給予小規模組織小機會／結論

第七章　發現新興市場　199
延續性與突破性市場預測／惠普的新市場開發／本田入侵北美機車市場／英特爾與微處理器／既有企業的失測與向下麻木
第八章　如何評估企業的能力與不利條件　219
組織能力架構／流程與價值的關係及成功處理延續性科技與突破性科技／組織能力的遷移／創造能力因應改變／結論
第九章　性能供給與市場需求　249
性能過度供給與競爭改變／一項產品何時可成爲商品？／性能過度供給與產品競爭演進／突破性科技的共通特色／會計軟體市場的性能過度供給／胰島素產品的性能過度供給／控制產品競爭演進／對與錯的策略
第十章　突破性科技案例研究　271
如何辨識突破性科技？／電動汽車的市場何在？／產品、科技與通路策略／適合突破性科技的組織形式
第十一章　最後的提醒　293

推薦序

不斷創新、主動出擊

尤克強

把時間拉回到一九八六年，當時任職於麥肯錫管理顧問公司的耶魯大學工程博士理查．佛斯特（Richard Foster）正領導所屬之研究人員針對企業之技術革新，完成了一份調查分析。他們的研究結論變成了一本當年的新書——Innovation: The Attacker;s Advantage（中國生產力中心譯作《S曲線》），立時洛陽紙貴，眾口交譽。該書之要點有三：第一，任何產品技術都循著S形狀的曲線成長而達其發展極限。第二，新技術的S曲線與舊技術的S曲線間會有一中斷；換言之，新技術並非根據舊技術的知識延伸而來，稱作技術的「不連續性」（discontinuity）。第三，隨著知識的進步，技術的不連續性發生頻率將愈來愈高，挾持新技術的出擊者（attacker）將可能擊敗舊技術的領先者。佛斯特在書中舉出了無數活生生的例子，說明舊技術的領者先如何昧於技術的極限而被無情地淘汰，例如：眞空管到半導體、布尿布到紙尿布、唱片到錄音帶到雷射唱片、天然纖維到人造纖維、螺旋槳飛機到噴射機、大型電腦到個人電腦等。一旦發生技術不連續現象，公司的命運可能在一夕之間驟然改觀，因此企業必須做好技術預測與管理的工作，不斷創新，主動出擊，才能維持領先的優勢。

佛斯特在書中也費心點出了遭受新技術攻擊的「防守者」通常犯下的錯誤有六：第一，他們相信進一步開發原有技術便已足夠，顧客可以接受低於新技術相當程度的產品，因爲新產品太貴了；第二，他們以爲只要了解顧客、市場及技術，就可以及早獲得必要訊息，做好新技術開發的準備；第三，他們自認了解顧客的需求，也相信顧客最了解自己的需求；第四，他們自信最了解產業和市場，往往忽略了產業以外的對手和原先不存在的市場；第五，公司高估了自己判斷技術不連續性能力，而忽視小公司的技術創新；第六，公司認爲新產品出擊時自己還有時間即時反應，阻擋攻擊。最後，佛斯特語重心長地建議：出擊與防守在同一公司應由不同的部門來執行，因爲防守者與出擊者的條件完全不同。出擊者的策略以技術爲著眼，防守者的策略以行銷爲重點；出擊者動作要快、規模要小、彈性要大，防守者則相反；企業要當永遠領先的火鳳凰，就必須永不停止地向自己的產品出擊。

令人遺憾的是，佛斯特雖然指出了舊技術領先者的錯誤，卻沒有探討造成這些錯誤背後的原因。這些年來，許多頂尖的企業堅守「傾聽顧客聲音」的最高信條、兢兢業業地經營，卻仍然逐漸喪失競爭優勢，這樣的現象令人困惑及無所適從。自從一九六〇年哈佛大學的李維教授（Ted Levitt）在他的名著《行銷短視》（Marketing Myopia）書中呼籲，「我們已忘了客戶需求，我們得回到他們身邊」，所有企業都無條件接受了「解決之道在市場」

（Marketing is the answer.）的理念。MIT的教授希波（Eric von Hippel）也曾大力推崇「傾聽客戶」的價值，並調查說明大部分的新產品創意均來自於客戶。全面品質管理的第一個要素就是「顧客導向」；九○年代的3C，第一個C就是Customer（加上competition及change）。到底「顧客」和「創新」之間有何弔詭的關係？爲什麼佛斯特指出的「防守者錯誤」未能提供足夠的警訊？企業技術戰爭之眞相究竟爲何？幸運的是，這些謎團終於在哈佛大學教授克里斯汀生（Clayton M. Christensen）的新書《創新的兩難》（Innovator's Dilemma: When New Technologies Cause Great Firms to Fail）中得到了解答——績優企業把科技投資在現有的重要客戶的需求上固然可以創造最大的利潤，但是現有的主流客戶往往排斥「突破性科技」（disruptive technology）的開發，使過度專注於客戶需求的企業無法集中力量在新產品創新上，因此錯失了良機，提供了「具創業精神」的新企業趁勢崛起的機會。

爲了有效解釋「領導企業爲何在面對科技的變革時常做出錯誤的決定」這個問題，克里斯汀生教授提出了價值網絡（value network）的觀點。所謂價值網絡，就是企業的營運體系，也就是企業如何滿足顧客需求、取得資源、對付競爭者，以及行銷獲利的方式。在價值網絡中，企業的市場選擇和競爭策略決定了它對新產品經濟價值的認知。這些認知就決定了企業創新方式（延續性科技或是突破性科技）的預期報酬。對舊技術領先者而言，「延續性科技」的高預期報酬驅使企業將資源集中在進入「高階市場」的力量上。但是「突破性科技」

的前景卻在於目前獲利低、規模小、需求不確定的「低階市場」。既然企業捨棄開發「突破性技術低階市場」而轉向高階市場尋求更大的利潤，他們會調整成本結構以符合高階市場的客戶需求，因此就更難轉回突破性科技的創新上。因爲優秀的經理人只做合理的決策，而合理與否已由其所處的價值網絡決定了。多數經理人盡量避免犯錯，以免留下事業的污點和晉升的障礙，然而失敗卻是突破性科技在尋求市場時的必經之路。經理人既不願意用自己的前途冒險，也就阻礙了現有價值網絡轉型的機會，企業因此不願意投注大筆金錢和人力在需求不明確的新科技創新上。

上述理論最好的例子就是快閃記憶卡。快閃記憶卡的價格太高、容量太小，因此不符合桌上型電腦和手提式電腦的需求。但是它的電力耗損低、較耐震的優點很適合掌上型電腦、書寫板、收銀機、電子相機等低階市場。因此昆騰（Quantum）與希捷（Seagate）等企業就不可能在快閃記憶市場與技術上取得領導地位。這並不是科技上的困難，而是他們必須專注於主流硬碟價值網絡中的高額利潤。

因此，什麼是創新的兩難呢?克里斯汀生教授的答案恰好補充了佛斯特的不足。佛斯特認爲技術成長的極限是可以預測的，所以技術領先者要「管理」好延續性技術的開發策略。克里斯汀生認爲突破性技術與市場是不可預測的，因此正確預測的策略不是成功的必要條件，重要的是保留足夠的資源，讓企業有機會嘗試錯誤以便找到正確的策略，在等到確定市場出現之前就無資源可用的創新研究，則註定要失敗。所謂創新的兩難就是「優秀管理」和「突破性技術創新」之間的矛盾。優秀經理人具備的能力與經驗原是應付延續性科技管理的最佳利器，偏偏這樣的能力妨礙了突破性科技的創新；更努力的管理或更精良的團隊都不是解決困境妙方。有趣的是，克里斯汀生提供的答案倒是與佛斯特不謀而合，那就是出擊（突破性科技）和防守（延續性科技）在同一企業應由不同的部門來執行。否則出擊策略會被視爲防守失敗的後補策略，而防守者總是認爲可以掌握從舊技術過渡到新技術的步調，也就造成趨向保護舊技術與市場的必然結果。如果企業想要和一個沒有舊價值網絡包袱，只針對一種新技術全力研發及行銷的小創業公司競爭，一定要將新技術成員調離現有組織系統，脫離防守的牽絆，如同IBM當年一個獨立部門才成功地發展出個人電腦。迪吉多則從一九八三到一九九五年之間，四度推出個人電腦產品都以失敗告終，就是因爲未能從現有的高獲利高階產品的價值網絡中切割出來獨立開發，因此承擔了高階產品價值網絡的間接成本而無法在低階市場中競爭。

《創新的兩難》一書獲得亞馬遜書店一九九九年商業類暢銷出第二名是實至名歸的。作者博學多聞、立論有據、學理與實務並重、創意與邏輯互補。新政府要把台灣建設成「綠色科技島」，科技研發的基本觀念不可或缺。這本書提出了一個最好的解釋性架構，供產官學研人士參考。本書翻譯的文筆亦流暢優美，屬高品質譯作。如果我們了解突破性科技在主流市場不獲青睞的屬性卻是在新興市場最有利的賣點，我們的科技企業經理人就該明白，關起門開發突破性科技以符合主流市場的作法，終究無法贏過爲突破性科技創造新市場的策略。台灣是海島型經濟，找尋新市場，利用科技創新在全球競爭中立足，正是我們必須努力以赴的目標，本書適時出現，恰可指點迷津，有心人士讀之，應大有獲益。

（本文作者爲元智大學管理學院教授兼總務長）

前言 領導企業的兩難

這本書主要是討論許多公司在遭遇到新市場或新科技的衝擊時，如何失去他們在業界的領導地位。本書中提到的不是普通的企業，而是曾經叱吒一時的企業，這些企業曾是所有經營者學習的目標，有完整的經營團隊能夠執行當時最具影響力決策。當然，一個企業失去領導地位的原因很多，例如：決策錯誤、執行不徹底、計畫失當、短期投資失誤影響資金流動、無效率、資源浪費，以及運氣不好等，以上種種原因都可能造成企業的僵化與停滯。不過，本書的焦點不在於擁有以上缺點的企業，而是在於一些讓競爭者緊追在後的績優企業，這些企業都有良好的管理、完整的客戶服務，並勇於學習及投資新技術及科技，但最後仍難逃失去市場領導地位的命運。

不可數記的失敗可能發生在快速變動的產業，也可能發生在變動微弱的產業；有可能發生在電子、化學及機械科技產業；有可能發生在製造業和服務業。舉例來說，席爾斯・羅伯克（Sears Roebuck）在數十年間被爲全球管理績效最優秀的一家零售經營者，在它極盛時期，占有全美零售營業額的二%。他的許多創新行爲對今日績優零售商的成功有重大的影響。舉例來說，供應鏈管理（supply management chain）、店面品牌（store brands）、型錄零售（catalogue retailing）與信用卡銷售（credit card sales）。席爾斯令人尊敬的經營之道可由一九六四年的《財星》（Fortune）中看到：「席爾斯是如何辦到的？席爾斯店面的一大特徵就是沒有任何的噱頭。席爾斯不玩弄任何花招，取而代之的是整個企業中每一個人自然而簡單地做對的事，而他們的目標是創造一個精力旺盛的經營團隊。」①

但現在好像沒有人這樣認爲了，席爾斯輕忽了折扣零售和家庭中心的興起。當型錄零售開始大行其道，席爾斯就此被市場淘汰！經營團隊的決策開始受到嚴厲的質疑，甚至出現這樣的批評，「該公司的商品事業群在經過一次高達十億七千萬元的重整計畫後，於一九九二年仍出現十三億美元的淨虧損，席爾斯完全忽略了美國國內的零售銷售市場已經產生一些基本的變化，固守在舊有的經營方式終將會被淘汰。」②

面對一蹶不振的股價以及重新振作之承諾未能實現，投資者對於席爾斯極爲失望。席爾斯過去的銷售方式——大量販售中間價位的大眾化產品與服務——已經不具任何的競爭力。無疑的，業績持續下滑，中興承諾遙遙無期，在在地破壞金融和商品交易社群對於席爾斯管理團隊的信任。③

在這個例子中，就在該企業極盛時期的六〇年代，忽略了折扣零售與家庭中心的興起，這是一種低成本行銷名牌消費品的銷售模式，因此侵占了席爾斯的核心業務。想當初，因爲該企業與威士卡（Visa）及萬事達卡（Master）合作而徹底改變美國人的消費習慣，開始使用信用卡購買小額商品，並被大眾譽爲最佳管理績效的企業。

這種因爲決策錯誤而產生類似如席爾斯的結果，一再地發生在某些大企業中，看看高科技企業中的ＩＢＭ，在伺服器、工作站主機業界中呼風喚雨，卻在個人電腦（微電腦）市場中栽了大根斗；但事實上，個人電腦的技術遠比大型主機要容易得多。不過當時所有製造、生產大型主機的企業，沒有一家在迷你電腦市場中占有重要地位。迪吉多電腦（Digital Equipment Corporation）首先打開迷你電腦市場，相繼加入戰場的還有王安電腦（Wang）及惠普科技（Hewlett-Packard）等，之後由蘋果電腦（Apple Computer）和稍後加入的Commodore、Tandy以及ＩＢＭ公司的個人電腦事業部門共同開發了個人電腦的市場。但是在筆記型電腦市場上，蘋果電腦與ＩＢＭ卻落後有五年之多。同樣的，開發工程工作站的阿波羅電腦（Apollo）、昇陽電腦（Sun）及視算電腦（Silicon Graphics）等新進者也加入戰場。

在零售市場方面，許多前段所提的企業都在當時居於領導地位，擁有第一流的人才、管理及決策團隊，是全球相關產業爭相學習的對象。以創立於一九八六年的迪吉多電腦公司爲例，當時一篇報導中刊載，「這幾天待在該公司裡，感覺像是站在一列極速前進的火車前面。這家營業額高達七十六億美元的電腦製造商正全速向前，反觀其他競爭者似乎如老牛拖車。」④而作者於後文中，更進一步的警告在同一市場中的ＩＢＭ要小心。的確，在麥肯錫的研究報告中，迪吉多的表現相當亮麗，而這份報告也就是知名暢銷書《追求卓越》（In Search of Excellence）的基本架構。⑤

然而數年之後，對於迪吉多的評論竟如此不同：「迪吉多公司實在需要一些新的刺激，主力產品的個人電腦生產線因爲銷售不佳幾乎停滯，爲期兩年的重整計畫徹底失敗，成長預測與生產規畫也同樣慘不忍睹。削減成本仍無法提升獲利。但是眞正的不幸在於迪吉多已喪失先機，浪費了兩年的時間，無法有效地回應徹底改變電腦產業的個人電腦與工作站市場。」⑥

迪吉多的案例和席爾斯相同，都是在其最爲鼎盛時做出了致命的錯誤決策。就在他們被譽爲企業典範的時候，卻忽略了桌上型電腦時代的來臨，並因此吃盡了苦頭。

這兩家企業的發展史是極好的範例。另外，全錄（Xerox）一直在高印量、高速影印機的領域中占有主導的地位，但同樣忽略了桌上型影印市場的快速成長與獲利機會，從此卓居第二位。在鋼品市場中亦有相同情形，目前迷你鋼鐵廠在美國及加拿大地區鋼鐵市場中約占有四〇%的市場；但是一九九五年之前，所有在美國、亞洲或歐洲的大型鋼鐵廠，沒有一家建造使用迷你煉鋼技術的鋼鐵廠，而三十家原本極具規模的挖土機製造商，在二十五年液壓挖掘技術成爲主流後，得以生存下來的只剩下四家。

從以上的幾個案例我們可以看出，原本居於領導地位，但在遭遇科技與市場變革從此一蹶不振的企業，其實相當多。乍看之下，襲擊這些領導企業的變革似乎沒有共通的模式，但是在某些案例中，新科技飛速發展；在其他案例中，改變卻要花上數十年的時間。在某些情況下，新科技極其複雜，必須耗費龐大的資源與人力，但有部分科技只要領導企業就已有的成就稍加改良即可。不可諱言，導致領導企業走向失敗的決策，都是在這些企業被視爲績優組織之時所制定的。

導致這個迷思的原因有二：這些大企業，諸如ＩＢＭ、蘋果電腦、席爾斯、全錄等，從來沒有好好的被管理過，而他們之前在業界的成功，只是因爲擁有極佳的運氣以及機會，直到運氣用盡後就開始陷入困境；另一種解釋是：這些企業所擁有的菁英團隊皆爲一時之選，但是他們決策的方式爲未來埋下失敗的伏筆。

這本書的研究報告證實了第二個觀點，就以上所述的案例，「卓越」的管理團隊正是造成這些頂尖企業馬失前蹄的最重要原因。準確來說，這些企業努力地傾聽客戶的心聲；不斷地研發新科技以提供更多、更好的產品給客戶；他們深入地研究市場趨勢、有系統地分配資源給予可以創造最大利潤的創新計畫。但也因爲如此，他們失去了領導地位。

這些至今被所有領導企業奉爲圭臬的經營原則，事實上必須視不同的情境而修正。在某些時機企業不應回應客戶的要求；企業必須投資於邊際利潤較低、性能稍弱的產品；積極開發規模較的市場。本書透過嚴謹的研究、針對成功與失敗的案例分析，歸納出一套原則，說明何時該採行廣爲接受的績優管理原則，何時又應採行另一套不同的做法。

我將本書歸納出的原則稱之爲「突破性創新原則」（principles of disruptive innovation），許多領導企業之所以失敗，就是因爲忽略這些原則或是選擇抵抗。如果企業能夠理解並遵循這些原則，依然能夠有效地應付最艱難的創新。就如同你個人在面對挑戰時所付出的努力，企業必須確實掌握世界的運作模式，而後順此模式管理企業的創新行動。

這本書的主要目的，是希望幫助所有的經營、管理階層——無論是高科技業、製造業或服務業，所有演變緩慢或極速變遷的產業。本書所提到的科技（technology），是指組織將勞力、資本、物料與資訊，轉化爲具有附加價值的產品或服務的流程。所有的企業都擁有科技，像零售業的席爾斯運用科技管理進貨、銷貨、倉管及送貨等的工作；至於以折扣零售商起家的普科零售公司（PriceCostco）就必須運用不同的科技。因此科技所涵蓋的不只是工程和製造部分，還包括行銷、投資和管理流程，而創新所指涉的即是上述面向中的任何一種科技上的變革。

兩難

爲了將本書所提之想法具備理論深度，並擴大其實用性，我將本書分成兩個部分，第一個部分包括第一章到第四章，試圖建立一套架構說明爲何優秀管理階層的決策會將企業導入失敗的境地。這四章所揭露的正是所謂創新的兩難；管理階層爲企業成功所做出的理性而智慧的決策，正是促使企業失去領導地位的主因。接下來是第二部分，包括第五章到第十一章，我提出了化解兩難的方法；在我們了解爲何以及在何種情形下，新科技會導致企業的失敗之後，我提出如何解決企業面臨的兩難窘境：主管爲了企業短期的利益，將資源投入可能造成永久傷害的突破性新科技。

建立失敗架構

在提出一般性的結論之前，我先深入分析一些案例。前兩章我們先以硬碟產業爲研究對象，這些「坐困愁城的績優公司」竟然一而再、再而三的跳入陷阱。硬碟產業是理想的研究標的，因爲我們已有豐富的數據資料，而且如同哈佛商學院教授狄金．克拉克（Dean Kim B. Clark）所說，硬碟產業的發展一日千里。在短短的幾年之內，市場的分工愈來愈細，新公司與技術不斷地出現、成熟而至沒落。在經過六代的技術變革之後，只有兩次產業領導企業仍能在新技術的市場中生存。硬碟產業這種不斷重複的失敗模式，讓我得以發展出一套簡略的架構，說明初期的領導企業爲何會被淘汰，同時我將此架構運用於較近的幾代技術革新，藉以測試此架構的有效性，以便能解釋最新一代的企業領導者的失敗。

第三章及第四章將更深入探討硬碟產業的領導企業，爲何一再重複失敗模式，同時藉由檢驗不同產業的案例以擴大此架構的廣度。因此第三章我以機械挖土機爲研究對象，證明導致硬碟產業領導企業失敗的因素，同樣可運用於具有不同特性與科技方法的產業。第四章我再以更爲完整的架構說明全球的整合型煉鋼廠爲何爲無力抵抗迷你煉鋼廠的衝擊。

良好的管理卻導引失敗？

我們所謂「失敗架構」（failure framework）是建立在三個基礎之上：一、延續性科技（sustaining technologies）與突破性科技（disruptive technologies）在策略面上具有不同的重要性；這與許多其他研究此問題的學者所採行的漸進式（incremental）與激進式（radical）區分有所不同。二、科技的發展速度常會超越市場所需。也就是說，當科技快速發展——這一定會發生——超出客戶需求的技術時，是否要尋找新的客戶，以吸引其他市場的客戶？三、成功的企業客戶與財務結構，嚴重扭曲了那些對他們而言極具吸引力的投資計畫。

延續性科技與突破性科技

大部分的新科技主要是爲了改善現有產品的性能，我稱其爲延續性科技。某些延續性科技在特性上可以是不連續或激進式的，有些則是漸進式的改變。所有延續性科技的共通點是改善既有產品的性能，而這些性能是主要市場的主流客戶最爲重視的。既有產業的多數科技變革在本質上都具有延續性。本書的一項重要發現在於，即使是最激進而困難的延續性科技，也很少會導致企業的衰退。

然而有時候突破性科技出現，反而削弱了產品的性能（至少就短期而言）。諷刺的是，在本書中的每一則案例裡，正是此種突破性科技造成企業衰敗。

突破性科技將不同的價值前提帶入市場，通常突破性科技會削弱主流市場中既有產品的性能，但是仍具有某些邊緣客戶（通常是新客户）重視的特色。突破性科技所設計的產品比較便宜、操作簡單、體積較小，而且更容易使用。除了桌上型電腦、折扣零售商之外，還有許多的案例。相對於由哈雷（Harley-Davidson）和BMW推出的運輸用機車，由本田（Honda）、川崎（Kawasaki）和山葉（Yamaha）於北美和歐洲推出的便道機車就是一種突破性科技。相對於傳統健康保險業者，保健組織就是一種突破性科技。在不久的未來，相對於個人電腦硬體與軟體供應商，「網路應用」就是一種突破性科技。

市場需求與科技提升

第二項失敗架構的主要基礎，即是大部分新科技的進展快於市場的要求，如圖0・1所

圖 0.1　延續性科技與突破性科技變革之影響

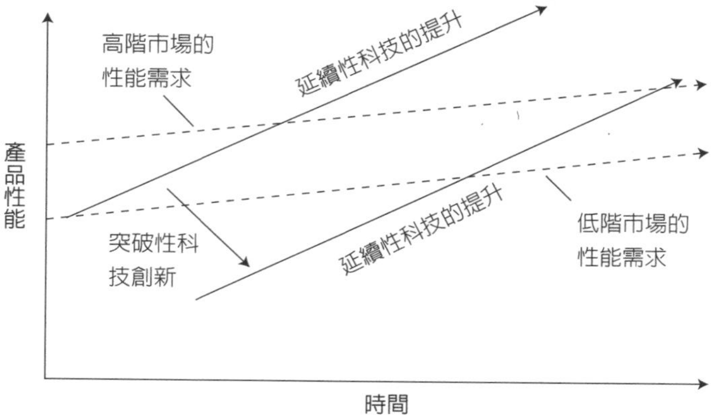

示。也就是說，他們比競爭對手更快提供更好的產品，獲利也相對地較高。供應商常過度開發市場，他們提供客戶超越其需求或願意購買的產品。更重要的是，突破性科技的性能也許在現今的主流市場中效用不大，但是在未來，它的性能也許會變得極具競爭力。

舉例來說，許多需要大型主機處理數據資料的企業也許已不再需要或購買大型主機。大型主機的性能可能超越原始客戶的需求，這些客戶發現只要運用個人電腦與檔案伺服器相連結，就可以完成工作。換句話說，電腦使用者增加的速度比電腦設計者改善的速度要來得慢。同樣地，一九六五年許多消費者必須到百貨公司購物，才能有較多的選擇或購買到品質較高的產品，但如今目標百貨（Target）和威名百貨（Wal-Mart）也能滿足同樣的需求。

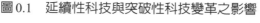

突破性科技與理性投資

第三個基礎是，對於企業來說，投資於突破性科技，在財務上不是明智的決策。主要有三項原因：第一，突破性產品較爲簡易和便宜，因此獲利較低。第二，突破性科技必須先在新興市場或較不重要的市場中商業化。第三，領導企業的獲利貢獻度最高的客戶不需要、也無法使用突破性科技所製造的產品。總而言之，突破性科技只能受到市場上獲利貢獻度最低的客戶所接受。因此強調客戶優先以及提供獲利最高的產品的企業，通常不會投資於突破性科技，待他們發現有必要時卻爲時已晚。

測試失敗架構

本書主要是找出突破性科技的問題所在以及如何因應，並建立研究學者所謂的命題之內部與外部效力。第一章及第二章主要以硬碟產業爲基礎，發展失敗架構；而在第四章到第九章之間仍以硬碟產業爲主，深入討論爲何突破性科技對於管理階層而言，是如此難以成功地駕馭。之所以如此詳盡地分析單一產業，即是爲了建立此架構的內部效力。如果一項架構或模式無法有效地解釋單一產業的現象，就無法運用到其他情況。

第三章與第四章後段到第十章，則是要建立此架構的外部效力。第三章運用此架構檢視電纜挖土機製造商如何被液壓式挖土機逐出市場。此外，第四章還討論了全球整合型鋼鐵如何被迷你鋼鐵廠所擊敗。第五章仍以此架構爲基礎，檢驗折扣零售商的成功，以及傳統連鎖店與百貨公司的失敗，此外還要探究電腦與印表機產業的突破性科技的影響。第六章則分析新興的個人數位助理產業，以及電動馬達控制產業如何被突破性科技所衝擊。第七章則記述機車業與邏輯電路產業的新進者如何擊敗領導企業。第八章爲如何評估公司的能力及不利條件。第九章則是觀察會計軟體與胰島素廠商所發生的同樣現象。第十章中則將這個架構運用在運動汽車上，測試從其他產業歸納出的原則是否成立，分析電動汽車的機會與威脅，以及電動汽車業該如何運用這些原則在商業上獲得成功。第十一章中做出總結。

簡短的說，本書希望提供一個理論完整、廣泛有效與管理實用的架構，以深入了解突破性科技如何加速領導企業的衰亡。

掌握突破性科技的原則

許多學生及大學裡的同事在這本書還沒出版前就看過（或參與討論）我的稿子，尤其看完第四章之後都深陷於短期宿命論的情緒中。如果優秀管理團隊的行動促使企業在面對突破性科技時敗下陣來，那麼企業亟欲改進的項目——完整的規畫、認眞工作、客戶導向、具有長期眼光——其實正是造成問題的主因。徹底執行、及時上市、全品質管理和流程再造等都一樣無效。不用說，這對於許多教育未來經理人的人來說，是一項寢食難安的消息。

第五章到第十一章主要是討論：雖然傳統（教科書式）所謂的良好管理原則無法有效因應突破性科技的衝擊，但事實上，仍有某些方式可以處理這個棘手的問題。每一家公司具有獨特的文化，界定公司該做與不該做的事項，當這些文化大過經理人的權限時，就無法帶領公司成功面對突破性科技。

再分析這個題目之前，先回想一下我們祖先在發明白努力定律以及地心引力之前，無論他們如何努力，都無法像隻鳥一樣在天空飛翔，他們難道不努力嗎？難道沒有夢想嗎？沒有勇氣嗎？他們在身上黏滿羽毛使自己像鳥一樣從高空跳下，這實在需要非常大的勇氣與信心，但是他們卻完全不理解重力、浮力、阻力與白努力定律之間的相互關係。直到這些定律的運用方式完全被瞭解之後，人們順著自然的定律製作飛行器、而非抵抗大自然，才眞正實現了飛上青天的夢想解決科技問題的方法也是一樣。

我在第五章到第十章，提出突破性科技的四大原則。如同人工飛行器一般，這些原則是堅不可破的，選擇忽略或抵抗的經理人無法引導他們的企業安然度過突破性科技的風暴。這幾個章節即是要說明，如果經理人能夠理解與運用這些力量，就可以成功地應付突破性科技的變革。以下我就簡要的敘述這些原則以及運用的方式。

原則一：公司依賴客戶或股東分配資源

從硬碟產業的發展史中，可以看出既有的企業可以平安度過一次又一次的延續性科技變革，但卻在更爲單純的突破性變革中一次又一次的絆倒，這證明了「資源依賴理論」（theory of resource dependence）[7]的存在。第五章我會簡單介紹這個理論，經理人以爲他們控制了企業內部的資源流向，但事實上是客戶與投資人決定了資金投入的方式，如果企業的投資模式無法滿足客戶與投資者的需求，就無法生存。因此績效最佳的企業都非常重視客戶以及投資者的需求，他們有一套完善的體系藉以扼殺客戶不喜歡的想法。企業也因此無法將資源投入突破性科技上——除非客戶有其需求。但是當它發生時，已經回天乏術了。

第五章我會說明如何運用此原則應付突破性科技。只有少數的主流企業得以成功地在突破性科技市場中，及時建立自己的地位，這些企業的經理人創建一個自主組織，針對突破性科技建立一個全新而獨立的事業體；這些組織免於主流企業客戶的影響，他們面對的是另一群不同的客戶，眞正需要突破性科技的客戶。換句話說，只有當經理人順從資源依賴的原則，而非採取抵抗的態度，就能成功地面對突破性科技。

當企業面對極具威脅性的突破性科技時，主流組織的人員與工作流程無法自由地獲取重要的財務與人力資源以搶占小型新興市場。當企業的成本結構是依據高階市場所設計，便很難在低階市場中獲利。於是建立一個獨立的組織，設計出可在最具突破性、利潤率低的小眾市場中獲利的成本結構，是既有企業成功的唯一方式。

原則二：小衆市場無法解決大型企業的成長需求

通常突破性科技會促使新市場的出現，及早進入新興市場的企業占有先進者（first-mover）的優勢。但是隨著企業的成功與擴張，就愈難進入新興的小衆市場，這也是大型企業不可避免的宿命。

爲了維持股價，並讓員工的責任範圍有擴展的機會，成功的企業必須持續的成長。營業額高達四千萬美元的企業，必須創造八百萬美元的盈收以及百分之二十的成長率時，營業額四十億美元的企業，就必須創造八億美元的盈收。但是沒有任何新興市場足以支撐如此龐大的盈收。因此，愈成功、愈大型的企業，其實愈脆弱，因爲新市場已不足以成爲成長的有效動力。

許多企業採行的策略是等到新興市場「大到有利可圖」時再進入，但是第六章的案例可以證明這是無效的策略。

能夠在突破性科技新興市場中占有一席之地的大型企業，均是建立一個符合新興市場規模的組織，負責突破性科技的商業化。小型企業較容易抓住小眾市場的成長機會，因爲正式與非正式的資源分配流程，使得大型企業很難將適當的資源分配給小眾市場；即使依照邏輯推論將來會成爲主流市場。

原則三：無法分析不存在的市場

嚴謹的市場調查與完善的規畫是領導企業的特色；運用於延續性科技創新時，這些原則極爲關鍵。也許這又是爲什麼在硬碟產業發展中，既有企業可以在一次又一次的延續性科技創新中生存下來。以上的經營原則適用於延續性科技的創新，因爲市場的規模與成長率是已知的，科技發展的軌道也已建立，主要客戶的需求也經過精準計算。因爲大部分的創新在特性上具有延續性，因此主管都已習慣在延續性的環境下管理創新，這樣較容易分析與規畫。

但是在面對突破性科技時，市場調查與營運規畫就變得毫無效用。在觀察硬碟產業、機車業與微處理器產業之後，我們唯一確知的是，專家推論新興市場會擴張的預測是錯的。

許多實例告訴我們，在延續性科技市場中居於領先地位——所有的資訊都是已知的、可以有效地規畫——並不一定具有競爭力。在此種市場中，科技追隨者可以和科技領導者做得一樣好。但是在突破性科技市場中，我們對市場所知有限，因此先進者占有極大的優勢，這就是所謂的創新的兩難。

某些企業必須確認市場達到一定的規模、有一定的利潤之後，才會決定進入市場，這樣的投資流程在面對突破性科技市場時，卻會造成致命的錯誤。他們需要的市場數據並不存在，他們必須在不知盈收與成本的情況下做出財務預測；將在延續性科技市場所運用的規畫與行銷技巧應用在突破性科技市場中，註定要失敗。

第七章我將提出完全不同於以往的策略與規畫方式，以運用在突破性科技市場。我們事先無法知道市場的規模與策略，因此必須採取「發現導向規畫」（discovery-based planning）；經理人必須假設他們的預測是錯誤的，他們所選擇的策略也可能是錯誤的。依此假設進行投資與管理，可以促使經理人學習何者必須是已知的，這樣才能有效地面對突破性科技市場。

原則四：市場需求與科技供給之間存在有落差

突破性科技剛開始也許只能應用在遠離主流市場的小眾市場。他們之所以具有突破性，是因爲未來他們可以擊敗主流市場的有既有產品。如同圖0．1所示，因爲科技發展的速度通常會超越主流客戶所需要和可吸收的提升程度。因此，今日符合現有市場需求的產品，因爲發展的速度使得在不久的未來就會超出市場的需求。而在今日表現不佳的產品，有可能在明日成爲極具競爭力的產品。

第九章即在討論：不論是硬碟產業、會計軟體和糖尿病治療，競爭的基礎——客戶選擇購買家產品而非另一家產品的原因——都已改變。當一、兩項產品的性能超出市場的需求，客戶便無法依據性能的好壞來選擇產品，產品選擇的基礎會從功能性與可靠性轉化至便利性與價格。

許多商學院的學生對於產品週期的看法非常分歧，第九章我會提出一項結論，即是產品性能超出市場需求的現象，正是推動產品生命週期改變的驅力。

下一個倒楣的會是誰？

許多經理人及學者看到這裡也許會有些緊張，即使最傑出的企業在面對突破性科技時，仍會嚴重受創。他們急切地想知道，要如何避免自己的企業成突破性科技的標靶，又要如何及早抵抗這些襲擊。對於其他有興趣創業的人而言，他們也很急切地要找出適合創立新公司或開發新市場的突破性科技機會。

第十章我會以反傳統的方式回答問題。我創造一個著名的科技創新案例：電動汽車。我假設自己是主角——在一家大型汽車製造商擔任電動汽車專案經理，正與加州空氣資源保護局協商在加州銷售電動汽車——我探討了電動汽車是否屬於突破性科技的問題，提出如何組織專案、設定策略與管理方式。此案例的目的不是要提出應付創新挑戰的標準答案，而是提出一個成功管理突破性科技，並可運用於不同情境的方法與思考模式。

第十章將深入探討企業所面臨的創新的兩難：積極投資於獲利貢獻度最高的客戶所需要

的產品或服務，卻因此而遭到失敗。現在沒有一家汽車廠受到電動汽車威脅，也沒有一家廠商想要大量生產電動汽車。汽車工業非常健全，這是現今歷史上第一次可以極低的價格購買高性能、高品質的產品。除了政府的決策外，實在沒有理由期待既有汽車製造商轉向電動汽車發展。

但是不可諱言的，電動汽車屬於突破性科技，未來極具威脅性。創新者的工作就是確保這項創新——無意義的突破性科技——在不犧牲重要客戶需求的前提下，在組織內部經過慎重的評估。如同第十章所呈現的事實，只有當企業以全新的價值觀仔細評估與發展新市場，並建立一個獨立事業單位，其規模與利益符合新市場客戶的特殊需求，才有可能化解困境。

註釋：

①John McDonald, "Sears Makes It Look Easy," Fortune, May, 1964, 120-121。
②Zina Moukheiber, "Our Competitive Advantage," Forbes, April 12, 1993, 59。
③Steve Weiner, "It's Not over Until It's Over," Forbes, May 28, 1990, 58。
④Business Week, March 24, 1986, 98。

⑤Thomas J. Peters and Robert H. Waterman, In Search of Excellence (New York: Harper & Row, 1982)。

⑥Business Week, May 9, 1994, 26。

⑦Jeffrey Pfeffer and Gerald R. Salancik, The External Control of Organizations: A Resource Dependence Perspective (New York: Harper & Row, 1978)。

第一部

績優企業爲何失敗

Why Great Companies Can Fail

硬碟產業的啓示

在工業發展的過程當中，似乎沒有一個產業會像硬碟產業一樣，不論在科技發展、市場結構、全球營運和垂直整合的改變上是如此地普及、快速與殘酷。這樣的發展速度與複雜性卻成了經理人的夢魘，但也是學者研究的最佳對象。

當我開始爲頂尖公司的失敗尋找一個合理的解釋時，我的朋友給了我一個非常有智慧的答案：「研究遺傳學的人，儘量不去研究人類。」接著又說：「幾乎每三十年左右就會產生新的世代，要研究每一次改變的因果需要花費極長的時間。不如研究果蠅，它們通常在一天內就完成出生、成長與死去的生命歷程。如果你想要理解產業的變化，就應該研究硬碟產業，這些公司與果蠅非常相似。」

的確，在工業發展史中，似乎沒有一個產業會像硬碟產業一樣，不論在科技發展、市場結構、全球營運和垂直整合的改變上是如此地普及、快速與殘酷。這樣的發展速度與複雜性卻成了經理人的夢魘，但也是學者研究的最佳對象。很少有產業能提供學者同樣的機會發展一套理論，解釋不同類型的科技變革如何造成某些特定企業的成功或失敗，或是藉由產業不斷重複的變革循環來測試理論的有效性。

本章將大略簡述硬碟產業的發展史。也許有些讀者會對這段歷史①本身感到興趣，但是本書提出演變過程的主要目的，就是希望能從複雜的發展過程中，歸納出影響一個領導企業成功或失敗的單純而一致的因素。當領導企業成功時，是因爲他們回應客戶的需求，並積極地投資合乎其客戶新需求的技術、產品與製造能力；但諷刺的是，當領導企業失敗時，也是基於相同的原因，他們回應客戶的需求，並積極地投資合乎其客戶新需求的技術、產品與製造能力。這就是一種創新的兩難：「盲目遵從」。優秀經理人必須回應客戶需求的鐵律，有時可能是一項致命的錯誤。

硬碟產業的發展歷史，提供了一個很好的架構，告訴我們什麼時候應該與客戶站在同一陣線，而什麼時候不可以。唯有在仔細研究產業的歷史之後，才能建立此架構的有效性。本章會提到部分發展史，其他章節之中也會陸續提到，我們希望過分專注於自身產業細節的人能夠明辨，類似的模式是如何影響他們自身的命運以及競爭對手的命運。

硬碟的運作原理

硬碟的主要用途在於提供電腦儲存與讀取資料，資料讀取的方式極類似唱針在唱盤的作

圖 1.1　標準硬碟的基本元件

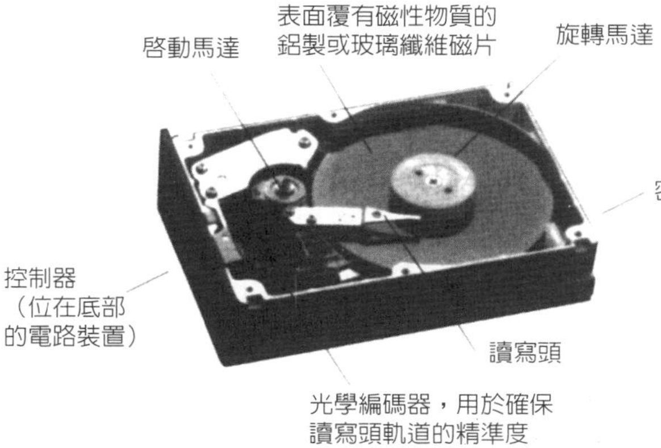

用。他們將讀寫頭（資料的儲存及讀取都透過這裡）固定在一隻懸吊臂上，游走在旋轉的硬碟表面進行讀取與寫入的動作，就如同唱針在唱片上的作用一般；硬碟以鋁或玻璃纖維製成，表面覆蓋磁性物質；至少有兩個電動馬達，一個是旋轉馬達（spin motor），驅動硬碟的旋轉；另一個是啓動馬達（actuator motor），主要用來移動讀寫頭至電腦所需的磁區；此外還有不同的電子電路控制硬碟的運作以及與電腦溝通的介面。圖1．1中所看到的就是最簡單也是最典型的硬碟。

讀寫頭是一個極精密的電磁鐵，每當流經的電流方向改變時，讀寫頭的磁性也會隨之改變。因爲相異的磁性會相吸，當讀寫頭變成正極時，位在讀寫頭之下的磁片區域會變成負極，反之亦然。當磁片在讀寫頭下旋轉時，流經讀寫頭電磁鐵的電流也會急速地改變方向，磁片表面的同心

圖1.2　IBM公司研發的第一台硬碟

資料來源：Courtesy of International Business Machines Corporation.

軌道上也會隨之產生正極或負極的磁區。硬碟即是利用正極或負極磁區做爲二位元數字系統——1與0——將資料寫在磁片上。硬碟則以相反的流程從磁片上讀取資料：磁片表面的磁流區改變，就會改變流經讀寫頭的微電流。

最早的硬碟

IBM位在聖荷西（San Jose）的研究實驗室的研究小組，於一九五二年至一九五六年間開發出第一台硬碟，這台名爲RAMAC（Random Access Method for Accounting and Control）的硬碟相當於一台大型冰箱的體積，內建有五十片二十四吋的磁片，可以儲存五百萬位元的資料（請參考圖1.2）。現今許多基本的架構觀念與元件技術，也是由IBM所開發出來。包括抽取式硬碟機（一九六一年問世）、軟碟機（一九七一年問世）、溫徹斯特硬碟（一九七三年問世），這些技術都大大地影響了業界工程師對於硬碟的認知與應用。

ＩＢＭ因自己的內部需要而研發硬碟，不久之後獨立的硬碟產業便開始形成，主要服務兩大市場。一九六〇年，有少數幾家公司開發腳位相容市場（plug-compatible market, PCM），將改良過的ＩＢＭ的硬碟以折扣價直接銷售給ＩＢＭ的客戶。雖然ＩＢＭ的競爭對手（例如Control Data、Burroughs、Univaz）以垂直整合的方式自行生產硬碟，但是在一九七〇年代出現一些小規模、非垂直整合的電腦製造商，如Nixdorf、王安、Prime發展出原廠代工（original equipment market, OEM）的模式。至一九七六爲止，硬碟的產值已達十億美元，其中自行生產部分占了五〇％，ＰＣＭ和ＯＥＭ的部分各占了二五％。

之後的數年間，市場規模迅速成長，每家廠商莫不積極地以技術爲導向，不斷地提升產品的性能。至一九九五年，硬碟的產值高達一百八十億美元。到了一九八〇年代中期，ＰＣＭ市場開始沒落，而ＯＥＭ市場則突飛猛進，占有四分之三的產值。在一九七六年最主要的十七家製造廠中，都是大型的專業代工廠，如Diablo、Ampex、Memorex、EMM、Control Data，而ＩＢＭ的硬碟製造部門則於一九九五年被購併。在這段期間，另有一百二十九家企業陸續加入這個市場，其中有一百零九家倒閉。除了ＩＢＭ、富士（Fujitsu）、日立（Hitachi）和恩益禧（ＮＥＣ）之外，其他在一九七六年之後進入市場的企業至一九九六年

圖 1.3　硬碟價格的經驗曲線

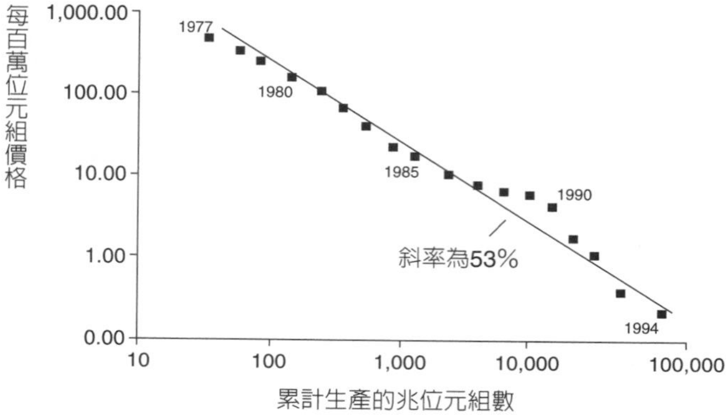

資料來源：Data are from various issues of *Disk/Trend Report*.

爲止都還存在。

許多學者及經理人將這種垂直整合製造廠的高「死亡率」歸咎於不可預測的科技變革速度。科技變革的速度可說是空前絕後，處理資料的百萬位元數（Megabits, Mb），也就是每平方英吋的磁片區可儲存的資料數量，每年平均成長三五%，從一九六七年的五〇Kb、到一九七三年的一．七Mb，到一九八一年的一二Mb，一直到一九九五年的一千一百Mb。硬碟的實體規模也以相似的速度在縮減中：一九七八年最小的二〇Mb硬碟只有八百立方吋，一九九三年則已縮小到一．四立方吋，平均每年以三五%的速度在縮減當中。

圖1．3顯示此產業的經驗曲線斜率爲五三%（硬碟產業發展所累計的兆位元組數與每百萬位元組成本之間的比值）——也就是說，每當磁片容量的兆位元組數目加倍，每百萬位元組的成本即下

降五三%。在過去二十年來，每一百萬元的成本平均每季下降五%。

科技變革的衝擊

我仔細調查硬碟領導企業失敗的原因之後，發展出「科技泥流假說」（technology mudslide hypothesis）：在應付永無止境的科技變革的同時，就彷彿攀登沿山丘而下的泥流，你必須永遠保持在其之上，只要停頓下來、稍喘一口氣，就會滅頂。

爲了測試這個假說，我分析所有蒐集到的資料之後，建立了一個以年爲基礎的資料庫，資料庫的內容包括自一九七五年到一九九四②年之間，全球所有硬碟製造業所開發的技術與性能相關的產品明細。我可以利用這些資料庫辨認出是哪些廠商在推出新技術上居於領導地位；追蹤新技術如何隨著時間的演進傳散開來；觀察哪些企業是領導者，哪些是追隨者；衡量每一次科技創新對於硬碟容量、速度與其他性能指標的影響。當我謹慎地重建每一次科技變革的歷史之後，就可以明白促使新進者成功或是既有領導企業失敗的原因。

這項研究讓我以不同於其他學者的觀點分析科技的變革。事實上，科技變革的速度或是困難度都不是造成領導企業失敗的主因，因此「科技泥流假說」是不正確的。

所有產品的製造廠商都會設定性能提升軌道（trajectory of performance improvement）。③我們以英特爾（Intel）爲例，微處理器的速度平均每年增加二〇%，從一九七九年八〇八八型處理器的8MHz，到一九九四年奔騰晶片的133MHz。禮來公司（Eli Lilly and Company）在一九二五年生產的胰島素純度爲50,000ppm（每百萬單位中的不純度），等到一九八〇年時達到10ppm，每年進步的幅度達到一四%，當企業建立了可測量的性能提升軌道後，便可確知新技術是否可以有效地改善現有產品性能。

但就其他的案例而言，科技變革所造成的衝擊又是不同的情形。例如，筆記型電腦是否優於大型主機？這是一個相當模糊的問題，因爲筆記型電腦遵循的是一個完全不同的性能提升軌道，衡量筆記型電腦性能的方式完全不同於大型主機，筆記型電腦的使用者也不同於大型主機。

此次的研究顯示，硬碟產業的技術發展分成兩個主要的方向，對於領導企業也各有不同的影響。第一種延續了產品性能的提升速度（總容量與記錄密度是最普遍的衡量指標），依困難度可分爲漸進式（incremental）與激進式（radical）。產業的領導廠商在開發與應用第一類科技上多半居於領導地位。相反地，第二種則是突破性地重新定義產品性能，也因此造成了產業領導者的失勢。[4]

本章後半篇幅會舉出幾個重要的案例，以及其在產業發展史上所扮演的角色，藉以清楚區分延續性科技與突破性科技的不同。這項討論的目的，在於找出開發與應用新技術時，領導企業爲何成功與失敗，並與新進企業做一對照。爲了徹底地分析這些案例，有必要檢視每一項新技術的發展。在分析每一變革期間哪家公司領先或落後時，我將既有企業（established firms）定義爲在新技術來臨之前即已存在的企業，他們運用的是先前的技術。而新進企業（entrant firms）則是在科技發生變革之時新進入的企業。因此，某家企業可能在產業發展史的某一時間點上被視爲新進企業，如八吋硬碟的開發。然而之後若有新技術被開發出來，這家公司就被視爲既有企業。

延續性科技變革

我們觀察硬碟製造業的發展史中，發現絕大多數的科技變革都是延續了或強化既有的產品性能提升軌道。圖1．4中比較了不同讀寫頭與磁片技術的平均記錄密度。第一條曲線是粒子氧化物磁片技術或鐵酸鹽讀寫頭的傳統技術；第二條則是

圖1.4　新讀寫頭技術對於記錄密度提升軌道的影響

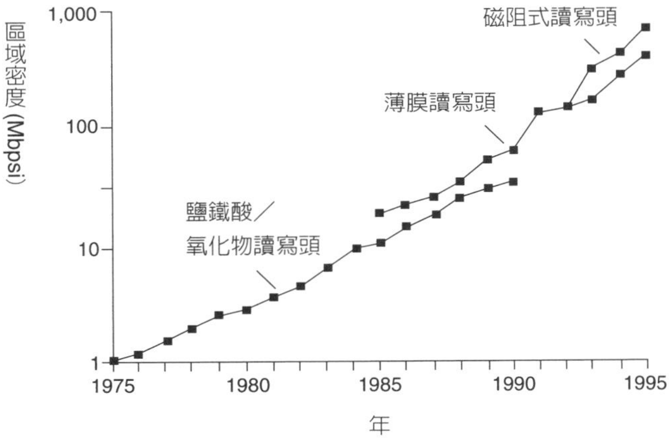

資料來源：Data are from various issues of *Disk/Trend Report*.

薄膜讀寫頭（thin-film head）新技術；第三條則是磁阻式讀寫頭⑤（magneto-resistive head），這是目前最新的技術。

新技術的出現取代舊產品的性能，此時就會形成一連串相互交叉的S型曲線。⑥沿著既定S型曲線移動，通常代表了既有技術的漸進式改良結果，跳躍至另一條曲線則表示採取全新的一項技術。圖1．4所顯示的例子，漸進式改良——如提升鐵酸鹽讀寫頭的精密度以及在磁片表面上覆蓋更微小、更均勻散布的氧化物粒子——使得區域密度在一九七六到一九八九年間由1Mbpsi進步到20Mbpsi。如同S型曲線理論所預測的，鐵酸鹽／氧化物技術所能達到的記錄密度已開始趨緩，也就是說，它已是一項成熟的技術。薄膜讀寫頭與硬碟科技的出現，持續了原有的性能提升速度。薄膜技術在一九九〇年代初期臻至成熟，此時更先進的磁阻式讀寫頭開始出現。磁阻式讀寫頭仍持續了或更甚者提高了產品性能提升的速度。

圖1．5顯示了另一種不同的延續性科技變革模式：產品架構的創新，也就是十四吋溫徹斯特硬碟取代了抽取式硬碟（一九六二到一九七八年間的主流設計）。如同薄膜技術替代了鐵酸鹽／氧化物技術，溫徹斯特技術的出現也延續了既有的性能提升速度。此產業的其他技術創新也有同樣的特性，如嵌入式伺服系統（embedded servo systems）、執行長度限制（RLL）和PRML讀取通道技術、RPM馬達以及嵌入式介面等。某些是激進式的技術進步，某些則是漸進式的創新。但是兩者均對該項產業造成了相似的影響：使製造商得以延續

圖 1.5　溫徹斯特硬碟對於十四吋硬碟紀錄密度的延續性影響

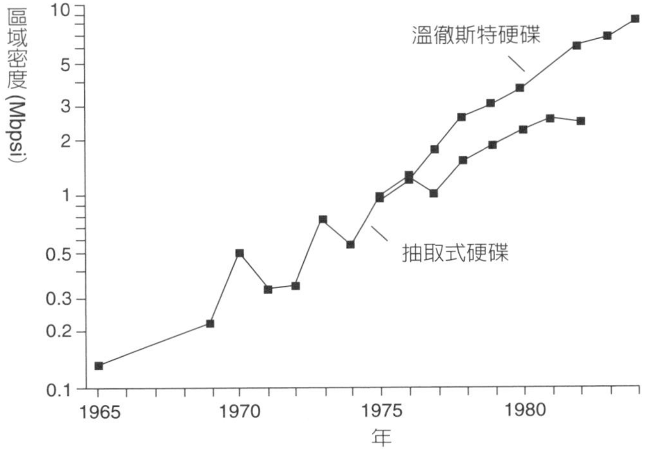

資料來源： Data are from various issues of *Disk/Trend Report*.

原有的性能提升速度。[7]

在硬碟產業中，每一次的延續性科技變革，都是既有企業主導產品的研發與商業化，新硬碟與讀寫頭技術的出現可以證明此一事實。

一九七〇年代時，一些製造商發覺在氧化物磁片上所能容納的資訊位元數已到了極限，因此他們開始嘗試在鋁製磁片上覆蓋一層超薄膜磁性金屬，以維持記錄密度的成長率。薄膜技術在積體電路產業已發展成熟，但是應用在磁性磁片上仍有潛在的困難。專家預估，薄膜磁片科技的先峰——IBM、Control Data、迪吉多、Storage Technology和Ampex——均花費了超過八年的時間，並投入超過五千萬美元的資金來開發這項技術。在一九八四到一九八六年間，大約有三分之二的製造商應用薄膜技術生產硬碟。其中大部分是既有企業，只有少數新進者願意使用薄膜技術改善舊有產品，而且當中有許多新進企業沒多久就關門大吉。

同樣的模式也發生在薄膜式讀寫頭科技的發展上，事實上早在一九六五年時，鐵酸鹽讀寫頭製造商就已經看出這項技術的瓶頸；到了一九八一年，許多人相信精密度的提升即將到達極限。研究學者遂轉向薄膜技術，他們在記錄讀寫頭上覆蓋一層金屬薄膜，然後運用照相平版印刷（photolithography）將電磁更精細地蝕刻在讀寫頭上，然而這項技術有其困難度。一九七六年的Burroughs、一九七九年的ＩＢＭ和其他既有企業首先成功地在硬碟裡內建薄膜讀寫頭。在一九八二年到一九八六年間，有六十家廠商進入高門檻的硬碟產業，只有四家（都是在商業上失敗）願意在舊有產品內使用薄膜讀寫頭。其他的新進者，其中不乏性能導向的企業，如Maxtor、Conner Peripherals認爲，必須先學習傳統的鐵酸鹽讀寫頭技術，再進階到薄膜技術。

如同薄膜磁片的情形一樣，薄膜讀寫頭技術也是一種延續性科技，只有既有企業才有本錢投資。ＩＢＭ和其他競爭對手都花費了超過一億美元的研發資金。同樣的模式也出現在磁阻式讀寫頭技術，是由ＩＢＭ、希捷（Seagate）和昆騰（Quantum）等大型廠商主導整個科技的發展。

這些既有企業不僅是在開發風險高、複雜度高、元件昂貴的科技上扮演領導創新者，他

圖 1.6　既有企業在延續性科技的領導地位

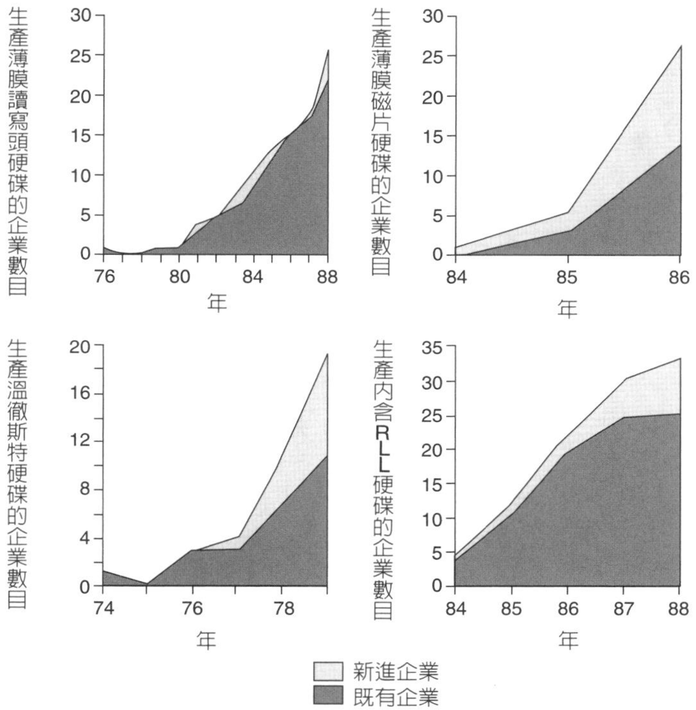

資料來源： Data are from various issues of *Disk/Trend Report*.

們在其他的延續性科技創新上也同樣是領導者。在較爲簡易的創新科技方面，如RLL（使硬碟產業從雙倍密度進步到三倍密度），既有企業是成功的開路先峰，新進企業則是技術的追隨者。架構創新（architectural innovation）也是同樣的情形，例如十四吋和二．五吋的溫徹斯特硬碟，最後都是由既有企業淘汰新進者。

圖1．6顯示的是在新的延續性科技興起之時，運用延續性新科技的

表1.1　突破性科技變革：五．二五吋溫徹斯特硬碟（一九八一）

屬　　性	8吋硬碟（迷你電腦用）	5.25吋硬碟（桌上型個人電腦市場）
容量（MB）	60	10
實體尺寸（立方吋）	566	150
重量（磅）	21	6
存取時間（毫秒）	30	160
每百萬位元組成本	50美元	200美元
單位成本	3000美元	2000美元

資料來源：Data are from various issues of *Disk/Trend Report*.

既有企業與新進企業之間的科技領導地位模式，這是個一致的模式。不論科技是激進的或漸進的、昂貴或便宜、軟體或硬體、元件或架構、性能強化或性能破壞、模式都是一樣的。如果延續性科技變革可爲既有客戶提供他們所需的更多、更好的產品，在舊有科技中居於領導地位的企業同樣在新科技的研發與應用上，占有主導地位。這些產業領導者不會因爲變得被動、自大或厭惡風險，或因爲無法趕上科技變革的速度，而就此一蹶不振。顯然「科技泥流假說」在這裡是不成立的。

突破性科技的失敗

硬碟產業的變革多半屬於延續性創新。但是仍有少數屬於突破性創新，正是這些突破性創新讓產業的既有領導企業失去市場。

最重要的突破性創新就是硬碟尺寸的架構創新，從十四吋硬碟、八吋、五．二五吋，一直到三．五吋，再從二．五吋到一・八吋。表1・1顯示了這些創新的突破性發展。依據一九八一年的資料，我們比較五・二五吋硬碟與八吋硬碟的特性，當時五・二五吋硬碟屬於新架構，進入市場仍未滿一年，而八吋硬碟在當時是迷你電腦商使用的標準規格。針對既有迷你電腦廠商所重視的性能面向——容量、每百萬位元組的成本和存取時間——而言，八吋產品顯然較為優越。五・二五吋硬碟無法符合迷你電腦製造商的需求。另一方面，五・二五吋硬碟的特色吸引了一九八〇年至一九八二年間興起的桌上型電腦製造商的青睞。體積小、重量輕，價格只有二千美元，安裝在桌上型電腦上具有高度經濟效益。

一般來說，突破性創新在技術上是一種創新發明，他們將必要的元件以較先前更為簡單的方法建構在一起。⑧這些產品所能提供的性能低於既有市場客戶的需求，因此無法打入既有市場。他們提供完全不同的產品特性，只能吸引遠離主流市場的新興市場顧客。

圖1・7顯示一連串簡單但突破性的科技創新如何擊垮績效優良的領導企業。直到一九七〇年代中期，十四吋硬碟和抽取式硬碟幾乎占去了大半的銷售額。之後十四吋溫徹斯特硬碟出現，延續了記錄密度成長的軌道。以上的硬碟都是銷售給大型主機電腦製造商，這些廠商主導了硬碟的市場，也帶領整個產業轉向溫徹斯特技術。

軌道圖顯示了一九七四年，中價位的大型主機電腦系統其容量大約是每台一三〇MB。在接下來的十五年內，平均每年成長十五％——這是新大型主機電腦使用者所需的硬碟容量成

圖 1.7　硬碟容量需求與容量供給的交叉軌道

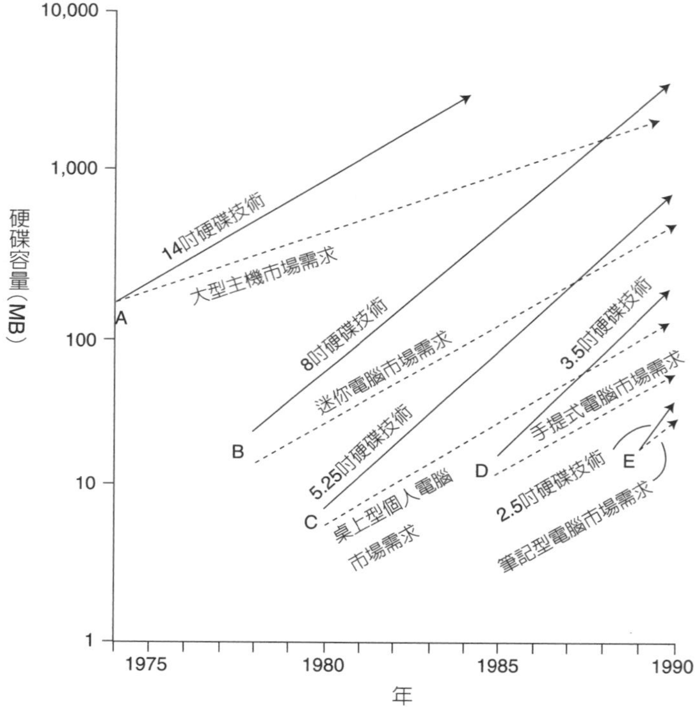

資料來源：Clayton M. Christensen, "The Rigid Disk Drive Industry: A History of Commercial and Technological Turbulence," *Business History Review* 67, no.4 (Winter 1993): 559. Reprinted by permission.

長軌道。同時間，十四吋的硬碟開始上市，其銷售額平均每年提升二二％，其速度遠遠超過大型主機的市場，直逼超級電腦的市場。⑨

一九七八到一九八○年間，許多新進企業，如Shugart Associates、Micropolis、Priam、昆騰——開發出容量分別為一○、二○、三○和四○MB的八吋硬碟。這些硬碟不適用容量需求為三○○至四○○MB的大型主機，因此八吋硬碟的新進企業將產品銷售給新的應用者——迷你電腦。⑩他們的客戶包括王安電腦、迪吉多、Data General、Prime和惠普，這些廠商不生產大型主機，運用軟體的方式也不同於大型主機。因此他們不可能在迷你電腦內安裝十四吋硬碟，因爲它的體積太大，而且價格過高。雖然初期八吋硬碟每百萬位元組的成本高於十四吋硬碟，但是這些新客戶願意爲他們所重視的產品特性，尤其是小體積的特色多支付一筆溢價；而體積小對於大型主機來說並無意義。

當八吋硬碟在迷你電腦市場中成熟之後，中價位迷你電腦的硬碟容量每年即提升二五%：這個成長軌道由迷你電腦擁有者學習使用機器的方式而定。然而同一時間，八吋硬碟製造商卻發現，只要積極地應用延續性創新，就可以每年以四〇%的速度提升硬碟的容量——幾乎是迷你電腦市場的兩倍。因此在一九八〇年代中期，八吋硬碟製造商可以提供低階大型主機電腦所需的容量。而出貨數量的大幅成長，使得八吋硬碟每百萬位元組的成本降至十四吋硬碟以下，八吋硬碟的優勢也逐漸浮現。例如，相對於十四吋硬碟，八吋硬碟的機械式震動較不會影響讀寫頭在磁片上的精確位置。就在三到四年之間，八吋硬碟在低階大型主機電腦市場上取代了十四吋硬碟。

正當八吋硬碟開始蠶食鯨呑大型主機市場時，十四吋硬碟的既有製造商開始沒落。其中有三分之二廠商沒有推出八吋硬碟。另外三分之一的廠商也是在新進企業進入市場兩年後才推出八吋硬碟，最後幾乎所有的十四吋硬碟製造商都被市場所淘汰。⑪

十四吋硬碟製造商並非因爲技術原因，而遭到八吋硬碟廠商所擊敗。八吋硬碟製造商所安裝的元件都是現成的，如果十四吋硬碟製造商也如法炮製的推出八吋硬碟，他們的產品在特性上，不論是容量、區域密度、存取時間或是百萬位元組成本，都極具競爭力。一九八年由既有廠商所推出的八吋硬碟在性能上，並不輸給同時期新進企業所推出的產品。此外在某些關鍵屬性的提升速度（一九七九到一九八三年之間）上，既有企業和新進企業之間的差別也不大。⑫

受制於客戶

爲什麼領導企業無法及時推出八吋硬碟？顯然地，他們在技術上絕對有能力生產這類型的硬碟。他們的失敗在於，無法及時地做出決策，全心投入需要八吋硬碟的新興市場。在我訪談這些企業的行銷與工程主管之後，我發現既有的十四吋碟製造商長期以來受制於客戶的需求。大型主機電腦製造商不需要八吋硬碟。事實上，他們確實不需要：他們需要的是單位成本更低、容量更高的產品。十四吋硬碟製造商努力傾聽和回應既有客戶的需求，而他們的客戶——以一種製造商或電腦製造客戶所不明的方式——引領企業遵循十四吋硬碟二二%提升軌道發展，但事實證明這是錯誤的決策。⑬

圖1．7顯示，市場對於電腦產品性能提升的需求與每一次新興架構所提供的元件技術和系統設計的變革能力之間，有不同的成長軌道，虛線表示每年所銷售的每種架構的所有硬碟平均容量。我將在接下來的段落中說明他們的轉變過程。

五．二五吋產品誕生

一九八○年希捷推出五．二五吋硬碟，有五MB和一○MB兩種規格，但是迷你電腦製造商對此產品不感興趣，他們需要的是四○MB到六○MB的硬碟。希捷與其他同樣於一九八○年到一九八三年之間進入市場的新進企業（如Miniscribe、Computer Memories、International Memories）一樣，必須爲他們的產品找出新的應用方法，於是他們轉向桌上型個人電腦市場。到了一九九○年代，硬碟已是桌上型個人電腦的基本配備。然而在一九八○年之前，也就是個人電腦市場剛興起時，個人電腦使用者僅有少數人負擔得起或使用硬碟。而早期五．二五吋硬碟製造商在不斷地嘗試錯誤（有人說是他們刻意的行爲）後，才找到新的市場。

一旦硬碟成爲桌上型電腦的標準配備時，中價位電腦的容量（一般個人電腦使用者所需的容量）平均每年增加二五％。然而科技的提升速度兩倍於新市場的需求：在一九八○年到一九九○年間，五．二五吋硬碟的容量每年提升五○％。如同八吋硬碟取代十四吋硬碟的情形一樣，第一家製造五．二五吋硬碟的廠商是新進企業；平均而言，既有企業落後新進企業約兩年的時間。到了一九八五年，生產八吋硬碟的廠商只有一半生產五．二五吋硬碟，其餘一半的廠商從未推出五．二五硬碟。

五．二五吋硬碟使用率的成長造成兩大潮流：第一，硬碟機有了全新的應用，就桌上型電腦而言，實體體積大小是非常重要的因素，但是就既有的市場而言則較不重要。第二，五．二五吋硬碟取代了既有迷你電腦與大型主機電腦市場所運用的大型硬碟，因爲五．二五硬碟容量提升的速度快於既有市場所需的容量提升速度。在四家生產八吋硬碟的主要廠商中——Shugart Associates、Micropolis、Priam和昆騰——只有Micropolis一家得以生存下來，成爲五．二五吋硬碟的重要製造商，而這是因爲赫克連恩（Herculean）的努力所致，我會在第三章詳細說明。

三．五吋硬碟出現

三．五吋硬碟是由Rodime於一九八四年首次研發而成，這是一家由蘇格蘭技師組成的新公司。然而直到康能周邊設備（Conner Peripherals）公司在一九八七年正式量產之後才受到市場的重視。康能周邊設備公司是由五．二五吋的領導企業希捷科技以及Miniscribe分離而成的新公司。Conner Peripherals已發展出一種體積更小、重量更輕的硬碟，比起原公司所生產的五．二五吋硬碟更爲好用，它可以電子方式執行前需要機械運作的功能，並運用微碼

（micorcode）取代先前的電子功能。康能周邊設備第一年的盈收達到一億一千三百萬美元，⑭其中有大部分獲利來自於康柏電腦（Compaq Computer），康柏電腦當時投資了三千萬美元協助康能周邊設備創業。康能周邊設備生產的硬碟主要運用在手提式電腦和膝上型電腦，以及桌上型電腦的小部分市場——這些客戶願意接受較低容量、百萬位元組成本較高的硬碟，以獲得重量較輕、較耐震、電力耗損低的優點。

希捷的工程師們並未忽略三．五吋硬碟的發展。的確，在一九八五年初期，也就是Rodime推出第一台三．五吋的硬碟不到一年的時間、康能周邊設備開始量產三．五吋硬碟的兩年前，希捷的員工就爲客戶示範三．五吋原型硬碟的效用。希捷的工程部門希望推出此項新技術，但是行銷部門與主管不贊同這項研發計畫；他們認爲市場需要百萬位元組成本低而容量高的硬碟，但是三．五吋硬碟無法符合這項要求。希捷的行銷人員爲桌上型電腦市場的客戶測試三．五吋硬碟原型，這些客戶包括IBM和其他轉售全系列桌上型電腦系統的廠商。毫無意外地，他們對於更小的硬碟沒有任何的興趣。他們在爲下一代產品尋求四〇MB到六〇MB的硬碟，而三．五吋硬碟最多只能到二〇MB，而且成本較高。⑮

爲了因應客戶的冷淡回應，希捷的專案經理向下修正三．五吋硬碟的銷售額，而公司的主管團隊則取消了整個計畫。他們的理由是什麼呢？因爲當時五．二五吋硬碟的市場要大得多，如果要以投資報酬率的觀點來計算，五．二五吋硬碟也要高出許多。

回顧希捷決策團隊所做的決定，就當時市場的狀況看起來是正確的。當時他們已經有了既定的市場和自有產品，如IBM XT和AT，這些產品的使用者不認爲耐震度高、體積較小、重量較輕與電力耗損低等因素是重要的。

希捷最後在一九八八年初投入三·五吋硬碟的生產行列，也就是在這一年，三·五吋硬碟的性能提升曲線與桌上型電腦容量需求曲線正好相交（如圖1·7）。這個時候，這款硬碟的出貨量總額已經超過七億五千萬美元。而有趣的是根據產業觀察家的報告，直到一九九一年，希捷所生產的三·五吋的硬碟從未銷售給手提式／膝上型／筆記型電腦製造商。換句話說，希捷的主要客戶仍以桌上型電腦製造商爲主，他們所生產的三·五吋硬碟都是安裝在原本設計給五·二五吋硬碟使用的電腦主機中。

害怕降低既有產品的銷售額，是許多既有企業無法及早運用新科技的一大原因。然而就希捷與Conner Peripherals的經驗而言，如果新科技的發展可以促成新市場的興起，那麼新科技就不一定是可怕的。若既有企業必須等到新科技在商業運用上成熟之後，再行推出自有產品以捍衛原有的市場，那麼對於瓜分既有市場的懼怕就成了自我實現的預言。

我們已經看過希捷公司對三·五吋硬碟科技發展所採取的因應措施，但是他們的行爲並非是例外。直到一九八八年爲止，爲桌上型個人電腦市場生產五·二五吋硬碟的製造商中，只有百分之三十五的廠商推出三·五吋的硬碟。與先前產品架構的移轉情形一樣，研發三·

五吋硬碟的阻礙不在於工程面。就如同當年由十四吋轉換到八吋硬碟一樣，不論是從八吋到五．二五吋、從五．二五吋再到三．五吋，在這兩次轉換期，由既有企業所開發的新架構硬碟比起新進企業的產品，在性能上更具競爭力。但是五．二五吋硬碟製造商被他們的客戶所誤導，ＩＢＭ和其他直接競爭者以及轉售商都和希捷一樣，忽略了手提電腦以及符合其需求的新型硬碟所具備的潛在效益與可行性。

二．五吋硬碟上場

一九八九年，一家位於科羅拉多州的Prairietek搶先發表第一款二．五吋硬碟，並在這個尚未成熟的新市場中創造出將近三千萬美元的營業額。緊接著康能在一九九〇年推出自己的二．五吋硬碟，在年底時其市場占有率高達九五％。Prairietek於一九九一年末宣告破產，但是就在同一年，所有生產三．五吋硬碟的製造商（昆騰、希捷、迪吉多等）都相繼推出自有的二．五吋硬碟。

是什麼因素改變了？難道這些領導企業終於學到了歷史的教訓嗎？並不盡然，雖然由圖1．7中可以看到二．五吋硬碟的容量明顯要低於三．五吋硬碟，但是手提電腦市場所需要的硬碟必須更輕、更小、更耐震、電力耗損更低，而二．五吋硬碟較能夠符合這些特性。除了這些優點之外，更重要的是二．五吋硬碟的性能優於三．五吋硬碟：這是屬於延續性科

圖 1.8　新進企業在突破性科技的領導地位

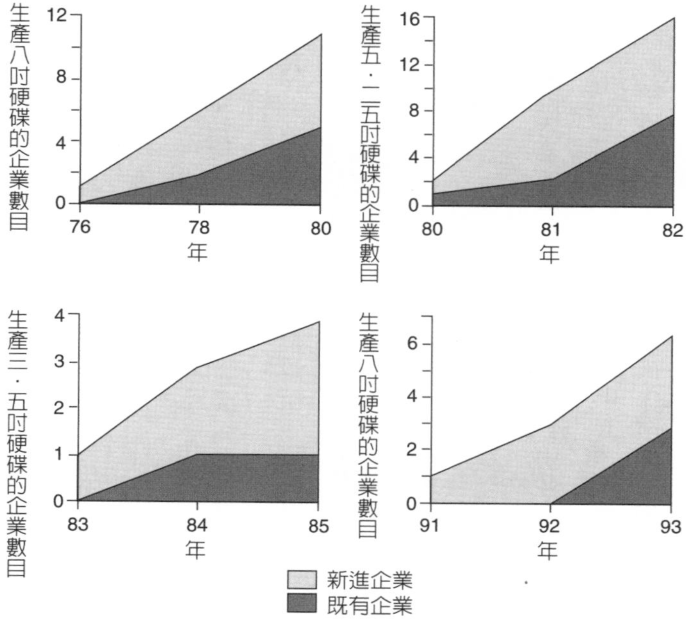

資料來源：Data are from various issues of *Disk/Trend Report*.

技。事實上，購買康能所生產的三・五吋硬碟的電腦製造商——膝上型電腦製造商，如東芝（Toshiba）、Zenith、夏普（Sharp）——都是筆記型電腦的領導廠商，而且他們也需要二・五吋硬碟。因此，康能和三・五吋硬碟市場的競爭對手就自然而然地跟隨客戶的需求，轉型生產二・五吋硬碟。

然而在一九九二年時，一・八吋硬碟開發成功，這項科技在特性上具有突破性。我會在稍後再詳盡說明其中的發展過程，但是在這裡我要提出說明的是，直到一九九五年為止，一・八吋硬碟的銷售額已達一億三千萬美元，其中新進企業就占了百分之九十八。此外，一．八吋硬碟的最大客戶不在電腦產業，而在手提式心臟監測器。

圖1．8顯示了在突破性科技中新進企業的領導模式的變化。例如，在八吋硬碟推出之後兩年，有三分之二的製造商是新進企業。在第一台五．二五吋硬碟推出之後兩年，有八〇%的製造商是新進企業。

結論

在硬碟製造產業的創新發展有數種模式。第一種是突破性創新。他們通常是將已知的技術組裝在一個獨特的架構中，促使這些產品得以執行先前無法實現的資料儲存與擷取功能。

第二種模式是硬碟產業的新科技發展目標在於延續既有的性能提升軌道：達到軌道圖右上方更高性能、更高利潤的區域。這些技術都是極爲新穎與高難度、但不具突破性的。領導企業的客戶是引導他們達到此種成就的一大主因，因此延續性科技並不會造成失敗。

第三種模式是：儘管既有企業在延續性科技成就上居於領導地位，包括從最簡單的到最激進的科技變革。但是在突破性科技成就上，卻是新進企業引領風騷。

本書一開始就提出了一個謎題：爲什麼積極、創新、了解客戶的企業，會忽略在策略面上具有高度重要性的新技術？在仔細分析過硬碟產業後，答案就非常明顯了。事實上，既有企業在開發延續性科技上態度積極、具有創新精神，對於客戶的需極爲敏銳。但是既有企業無法成功回應突破性科技的原因，在於無法轉向低階市場發展；為新產品尋找新市場的能力，是這些既有企業在過去仍是新進企業時所擁有、後來卻喪失了的。若既有企業受制於客戶，每當突破性科技出現時，新進企業就有機會擊敗既有企業。⑯至於為何會發生這種現象，我會在下一章進一步地解析。

附錄1．1：製作圖1．7所運用的資料與方法

圖1．7的製作方式如下：電腦的容量數據是由Data Source所提供，這份年報會列出每一家電腦製造商其生產的電腦款式所具備的科技能力明細。例如，某些特定款式有不同的配備與規格，製造商必須提供*Data Source*「代表性」的系統規格資料，包括隨機存取記憶體容量、周邊設備（包括硬碟）性能明細、售價、上市年份。例如，某一款電腦在銷售期間，硬碟容量的標準規格會逐年提升。*Data Source*分成大型主機、迷你電腦、桌上型個人電腦、手提式／膝上型電腦與筆記型電腦等五大類。就以一九九三年為例，一．八吋硬碟仍未應用在手提式電腦上，因此就沒有關於此潛在市場的數據。

圖1．7中，所有銷售的款式都是以平均價格與容量加以排序。最符合最終的時間序列的一條線即是1．7的實線部分。實際上，在這條實線周圍是一條長形寬帶，價格最高的電腦所提供的最高容量，必定會高於代表值。

圖1．7中的虛線，則是每年每種架構中所銷售的所有硬碟其平均容量的平均線。這些數據由*Disk/Trend Report*所提供。為了簡化說明，只畫出此一線條，周圍也應有一條長形寬帶，每一年的最高容量硬碟必定會高於平均值。換句話說，必須區分可購買的所有產品與代表性產品，在平均線上端與下端的寬帶通常與平均線平行。

市場提供的容量通常高於市場平均系統所需，因此圖1．7的實線軌道代表每一市場對於容量的需求；因此每一種產品的容量，並不受到技術提升的限制，而是代表了使用者的選擇。

註釋：

①更完整的硬碟產業發展史請參考：Clayton M. Christensen, "The Rigid Disk Drive Industry: A History of Commerical and Technological Turbulence," Business History Review (67), Winter, 1993, 531-588。這篇文章的焦點在於硬碟機製造商，硬碟機的運作原理是將資料儲存在硬質金屬碟片上。製造軟碟機（抽取式的軟性邁拉爾硬碟片，表面塗有一層氧化鐵，資料即儲存在此上）的廠商與製造硬碟機的廠商不同。

②此項分析所運用的資料大部分來自於Disk/Trend Report，這是一本極具權威性的年度市場研究報告，每一家硬碟製造商都會提供詳細的產品明細表。我很感謝Disk/Trend公司的編輯與工作人員協助我進行這項研究計畫。

③請參考：Giovanni Dosi, "Technological Paradigms and Technological Trajectories," Research Policy (11), 1982, 147-162。

④此部分和其他學者研究結果不太相同，我會在第二章中詳細說明。

⑤最早製作讀寫頭的技術是利用一束銅絞線將氧化鐵核心包裹起來形成電磁，因此稱爲鐵酸鹽讀寫頭。之後改良的技術是將鐵酸鹽磨成更微小的細粉，運用更高級的塗佈技術，並在鐵酸鹽中摻雜鋇，以強化其效能。薄膜讀寫頭是利用照相平版印刷技術，類似於在矽晶片上製作積體電路的技術，將電磁蝕刻在讀寫頭的表面。這項技術的困難在於，因爲其中的覆蓋物質比起製做積體電路時還要來得薄。第三項技術於一九九〇年代中期開發出來，稱爲磁阻式讀寫頭。它也是運用薄膜照相平版印刷技術，只是原理不同：當磁片上的磁流區改變，讀寫頭裡電路組成的電阻係數也會改變。藉由測量電阻係數而非電流方向的改變，磁阻式讀寫頭敏銳度更高，因此資料記錄的密度也更高。至於在磁片科技的發展歷史中，最早的技術是將細微的氧化物針狀微粒子覆蓋在平坦而光滑的鋁製磁片上，然後將他們更爲均勻的分散在硬碟片上，盡量不要有空白處。之後開發出更精良的塗佈技術，也是引自於半導體製程：在鋁製磁片上塗佈一層極微薄的金屬物質。因爲金屬物質的薄度、它的連線性而非粒子本質，以及高度精確塗佈流程的彈性，使薄膜磁片的記錄密度更高。

⑥Richard J. Foster, Innovation: The Attacker's Advantage（New York: Summit Books, 1986）。

⑦在圖例1．1、1．2所顯示的科技變革案例，使得「不連續」這個字眼有些許的模糊。請參考：Giovanni Dosi, "Technological Paradigms and Technological Trajectories", Research Policy (11), 1982: Michael L. Tushman and Philip Anderson, "Technological Discontinuities and Organizational Environments," Administrative Science Quarterly (31), 1986。其中都有運用到此字眼。讀寫頭與磁片科技的創新如圖1．4所示，它代表了既有科技發展軌跡的正向不連續，圖1．7顯示的突破性科技發展軌跡則是一種負向不連續。以下我會談到，既有企業較有能力主導正向不連續科技發展，但是當面對負向不連續時將會失去領導地位。

⑧這種趨勢一直不斷地在各產業中發生，請參考：Richard Rosenbloom and Clayton M. Christensen, "Technological Discontinuities, Organizational Capabilities, and Strategic Commitments," Industrial and Corporate Change (3), 1994, 665-685。

⑨附錄1．1中有較詳細的說明。

⑩微電腦市場並不是在一九七八年才興起，但是對於溫徹斯特硬碟卻是一項新的運用。

⑪這段敘述只適用於在OEM市場中競爭的獨立硬碟製造商。有些垂直整合的電腦製造商，如IBM，受惠於獨占的內部市場，因此得以在數代的科技變革中生存。然而即使是IBM，也必須建立自主的硬碟製造事業部，以應付新科技的開發。其位於聖荷西的事業部專注於高階電腦（主要是大型主機）的應用，另外位於羅徹斯特（Rochester）的事業部則專注於中階電腦與工作站。IBM也在日本的滕澤（Fujisawa）設立一個獨立的事業部，負責生產桌上型電腦用的硬碟。

⑫這與海德遜（Rebecca Henderson）的結論完全不同。請參考：Rebecca Henderson, The Failure of the Established Firms in the Face of Technological Change: A Study of the Semiconductor Photolithographic Alignment Industry, dissertation, Harvard University, 1988。海德遜發現，由既有企業生產的新架構在性能上劣於新進企業的產品。之所以有不同的結果，其中一種可能的原因是，海德遜所研究的照相平版印刷技術，其新進企業在製造新產品時，擁有完整的科技知識並從其他市場中吸取經驗。但是就我的案例而言，沒有一家新進企業有如此完整的知識。更重要的是，許多新進企業的經理人與工程師都出自既有企業。

⑬這項發現類似於約塞夫．包爾（Joseph Bower）教授所發現的現象。他發現當客戶對商品的要求非常明確時，就會對企業分配資源的流程產生極大的影響力：「如果以成本與數量來定義所謂的差異（必須由投資計畫提案

加以解決），計畫就會陷入膠著。當符合銷售的容量被認爲不合宜，定義流程即接近完成。簡而言之，來自市場的壓力會同時減少獲利率與做錯的成本。」雖然包爾教授指出了製造能力，但仍是基本的現象——已知客戶的已知需求影響企業投資方向的力量——左右了企業對於突破性科技的回應態度。請參考：Joseph Bower, Managing the Resource Allocation Process (Homewood, IL: Richard D. Irwin, 1970), 254。

⑭帳上年收益爲一億一千三百萬元美元，創下美國商業歷史上第一年收益最高的紀錄，至今無人能破。

⑮這項發現與羅伯．伯傑曼（Robert Burgelman）教授的理論一致。他認爲，組織創業家最大的困難在於找到正確的「資料測試地圖」（data test sites），與客戶相互開發或改進產品的地方。一般而言，投資既有客戶的新應用市場都是由代表公司的既有產品線的銷售人員所開發，這有助於企業爲既有市場開發新產品，而不需爲新產品開發新市場。請參考：Robert A. Burgelman and Leonard Sayles, Inside Corporate Innovation (New York: The Free Press, 1986), 76-80。

⑯我相信這樣的洞見——攻擊性企業在突破性科技上占有優勢，但是在延續性科技上則否——更加清楚解釋了佛斯特對於攻擊者優勢的論點。佛斯特爲建構其理論所運用的歷史案例，似乎是屬於突破性科技。請參考：Richard J. Foster, Innovation: The Attacker's Advantage (New York: Summit Books, 1986)。

第二章

價值網絡與創新刺激

價值網絡——企業在此體系內辨識與回應客戶的需求、解決問題、取得資訊、回應競爭者與爭取獲利——的觀念是最重要的核心。在價值網絡中，企業的競爭策略和過去的市場選擇，決定了其對於新產品之經濟價值的認知。

爲什麼領導企業面對科技的變革時常會做出錯誤的決定？這是學者、顧問及經理人一直想要突破的問題。大部分的解釋都將焦點集中於企業如何在管理、組織或文化面上回應科技變革，或是集中討論既有企業因應突破性科技的能力。兩者都可以解釋爲何某些企業在面對科技變革時會慘遭滑鐵盧，我會在以下的內容一一介紹。本章最主要的目的，是期望依據「價值網絡」（value network）建立第三種解釋理論。價值網絡的觀念在解釋硬碟產業的情形時，比起前兩者更具說服力。

由組織及管理面尋找失敗的原因

解釋績優企業失敗的其中一個論點，是組織的限制。許多採取此項觀點的分析，仍停留各種層制、自滿或厭惡風險的企業文化等表面解釋。不過仍有些學者提出具洞察力的解釋，如海德森以及克拉克兩位，①他們認爲許多企業的組織結構比較適於元件層級的創新，因爲大部分注重產品研發的組織都由負責產品元件製造的次級團隊所組成。只要產品的基本架構維持不變，這樣的組織體系則可運作良好。但是他們強調，當架構式科技變革成爲必要時，這樣的組織的體系就會妨礙人員與團體以新的方式溝通與合作，不利於企業應付突破性科技的創新。

這類見解非常正確。在基德（Tracy Kidder）的普立茲獎著作《打造天鷹》（The Soul of a New Machine）中提到一個著名的案例。Data General的工程師正在研發新一代的迷你電腦，希望攻占迪吉多電腦產品的市場，其中一位工程師的朋友讓這群工程師在半夜時進入他的辦公室，研究他公司剛買進的迪吉多最新開發的電腦。魏斯特（Tom West）是Data General的專案領導人，他曾在迪吉多電腦服務過一段時間，當他打開迪吉多迷你電腦的外殼並仔細看過其結構後，他發現「這款電腦的結構設計就彷彿是迪吉多企業的組織圖」。②

組織的結構以及團隊合作方式的設計，必須使得主要產品的設計流程更爲順暢。然而這樣的因果關係會自行反轉；組織的結構與團隊合作的方式也會影響新產品的設計方式。

以能力與激進科技作解釋

在評估一個體制健全企業的失敗原因時，有學者提出兩種創新方式，其中一種需要完全不同的科技能力，也就是所謂的激進式變革（radical change）；另一種是在既有科技能力基礎上加以改良，也就是所謂的漸進式創新（incremental innovations）。③這個觀念的核心在於，科技變革相對於企業能力的重要性，決定了企業是否可以成功地面對科技的衝擊。支持這項理論的學者認爲，既有企業比較擅長於改進他們所熟知的技術；而新進企業比較適合開發全新的科技，通常他們會將自己在另一產業已發展成熟的技術帶入新的產業。

克拉克教授認爲，企業對於某一項產品如汽車，不論在組織階層或經驗上，都已經建立了完整的科技能力。④組織長久以來選擇解決何種技術問題的決定，會影響其所累積的技術與知識類型。當一項產品流程的最佳解決辦法需要另一套完全不同的知識與技術時，企業就會面臨困境。圖許曼（Michael L. Tushman）與安德森（Philip Anderson）等其他研究學者也支持克拉克教授的假設。⑤這幾位學者都認爲當科技的快速發展到足以毀損企業原先所累積的能力價值時，企業失敗是必然的結果。

這些學者的推論解釋了企業爲何在面臨科技變革時失敗的原因。然而硬碟產業卻是完全不同的景況，不適用於前兩者的理論。產業領導者首先開發出各式各樣的延續性科技，包括架構性與元件性創新。然而，這些企業在面對突破性創新時，如八吋硬碟，卻手足無措。

就硬碟產業發展史而言，促使領導企業發激進式科技的原因是不一樣的。科技的本質（元件與架構、漸進式與激進式）、風險的重要性，以及承擔風險所需的時間視野等因素，都和領導者與追隨者此一模式沒有關連。若客戶需要創新，領導企業就必須投入必要資源去開發與運用。相反地，客戶不需要或不希望創新，這些領導公司就不可能將其商業化，即使這是一項非常簡單的創新。

價值網絡對硬碟產業的全新詮釋

那麼到底是什麼原因使新進企業或是領導企業成功或失敗呢？接下來我就以一個全新的觀點分析硬碟產業的發展史，並找出成功或失敗與科技和市場結構變革的關係。價值網絡——企業在此體系內辨識與回應客戶的需求、解決問題、取得資訊、回應競爭者與爭取獲利——的觀念是最重要的核心。⑥在價值網絡中，企業的競爭策略和過去的市場選擇，決定了其對於新產品之經濟價值的認知。而這些認知又可作爲企業從延續性科技或突破性科技創新中所能獲得的預期報酬的參考。⑦就既有企業而言，他們的預期報酬會驅使企業將資源集中在延續性創新而非突破性創新上。這樣的資源分配模式使得既有企業得以在延續性科技創新上占有領導地位，但卻無法在突破性創新上取得成就。

價值網絡反映了產品架構

企業是內嵌於價值網絡中，因爲他們的產品如同元件一樣，也是一層層地內建於其他產品中，最後所有的一切都內嵌於使用系統（systems of use）。⑧以一九八〇年的管理資訊系統（management information system, MIS）爲例，如圖2．1所示。MIS的架構是由許多不同的元件所組成——大型主機；周邊設備如線上印表機、錄音帶和硬碟；軟體；冷氣房，墊高的地板下有無數條電線等等。再往下一層，大型主機本身是一個架構體系，其中包含的元件如中央處理器、多晶片封裝、電路板、隨機存取記憶體電路、終端機、控制器和硬碟。再往下一層，硬碟成爲一個架構體系，其中含有馬達、啓動裝置、主軸、磁片、讀寫頭和控制器。同樣地，磁片本身也可以成爲一個架構體系，內含有鋁製磁片、磁性物質、黏著劑、研磨劑、潤滑劑和塗料。

雖然使用系統中所有的產品與服務可由單一一家整合大廠所提供，如AT&T與IBM，但是其中大部分元件是可交易的，尤其是在成熟市場。圖2．1顯示了一個產品系統的巢狀實體架構，其背後所代表的是製造者與市場的巢狀網絡（nested network），每一階層所製造的元件可銷售給下一階層的整合廠。例如，設計與組裝硬碟的廠商，如昆騰與Maxtor，可以從專門製造讀寫頭的廠商取得讀寫頭，從其他廠商購買磁片，再從其他廠商購買旋轉馬

圖2.1　產品架構的巢狀系統

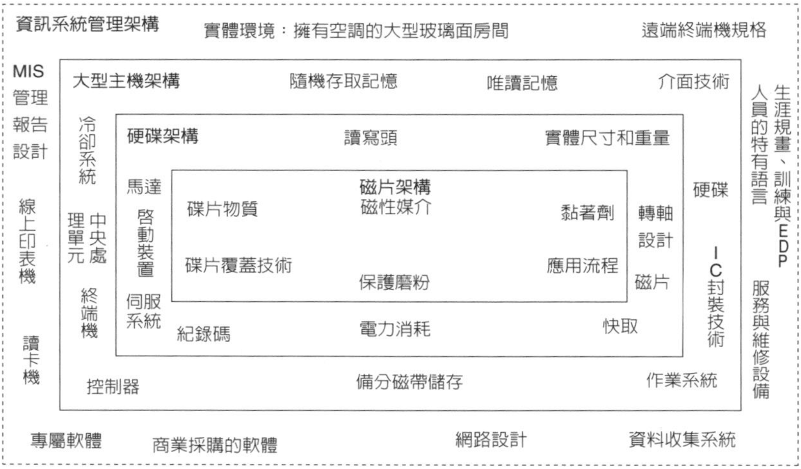

資料來源：Reprinted from Research Policy 24, Clayton M. Christensen and Richard S. Rosenbloom, "Explaining the Attacker's Advantage: Technological Paradigms, Organizational Dynamics, and the Value Network," 233-257, 1995 with kind permission of Elsevier Science-NL, Sara Burgerhartstraat 25, 1055 KV Amsterdam, The Netherlands.

達、啓動馬達與積體電路組件。到了下一層，設計與組裝電腦的公司，又向不同廠商購買積體電路、終端機、硬碟、IC封裝以及電力供應。這種巢狀商業系統就是所謂的價值網絡。

圖2．2顯示了電腦應用的三種價值網絡，由上而下分別是組織MIS使用系統、手提式個人電腦產品、電腦自動化設計（CAD）。圖2．2只是用來說明網絡的結構與形成方式，並不代表所有的結構都是如此。

價值網絡的重要性

價值衡量的方式會隨著不同的網絡而有所不同。⑨各種產品屬性的重要性排序，部分界定了價值網絡的界限。在圖2．2中，元件方格的右手邊顯示了每一個價值網絡對於重要產品屬性的不同排序，即使是相同的產品，其屬性排序仍會有所不同。以最上層的價值網絡為例，衡量硬碟性能的標準為容量、速度與可靠性。但是在手提電腦的價值網絡中，衡量硬碟性能的標準則是耐震度、電力耗損與體積。由此可知，每一個價值網絡對於產品價值的定義都不相同，因此在同一產業中會存在許多平行的價值網絡。

雖然在不同的使用體系中會存在相同的元件（例如，圖2．2中的每一個價值網絡中，都有讀寫頭、硬碟、隨機存取記憶體電路、印表機、軟體等），但是元件的使用本質卻不盡相同。一般而言，每個元件方格有其各自的一組競爭廠商，這組廠商具備特有的價值鏈；⑩每個價值網絡也有其各自的產品與服務供應商（請參照圖2．2元件方格的左手邊所列出的廠商名單）。

當企業在原有的網絡中取得完整的經驗後，就表示他們已經發展出價值網絡所需的能力、組織結構與文化。不同的價值網絡有不同的產量、量產斜率、產品開發週期、客戶與客戶需求的定義。

我們可以觀察自一九七六年至一九八九年間，所有銷售的硬碟的價格、屬性與性能特徵。我們可以用一種「快樂回歸分析」（Hedonic Regression Analysis）來研究個別屬性在市場的價值以及價值的演變。在「快樂回歸分析」中，一項產品的總價格就是所有個別的影子

圖 2.2　三種價值網絡範例

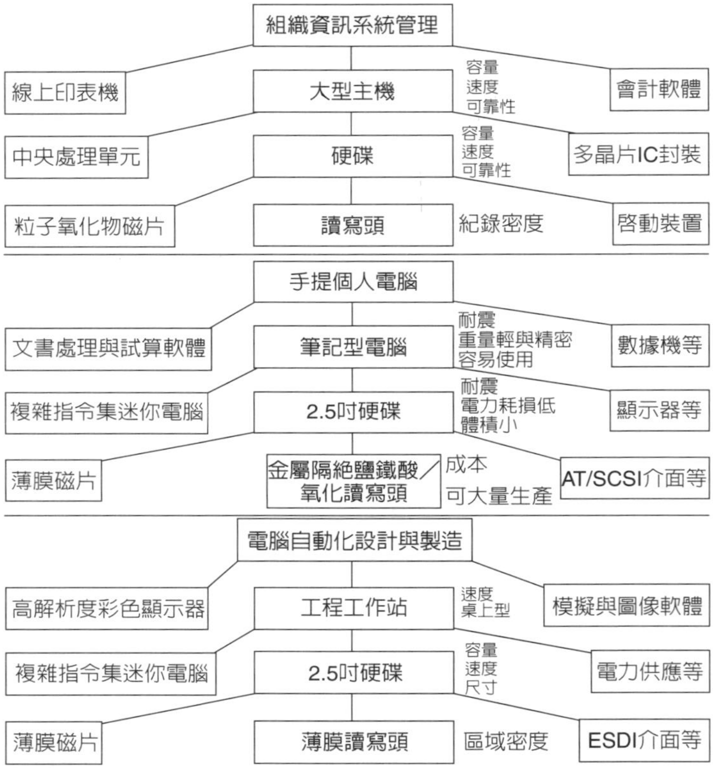

資料來源：Reprinted from Research Policy 24, Clayton M. Christensen and Richard S. Rosenbloom, "Explaining the Attacker's Advantage: Technological Paradigms, Organizational Dynamics, and the Value Network," 233-257, 1995 with kind permission of Elsevier Science-NL, Sara Burgerhartstraat 25, 1055 KV Amsterdam, The Netherlands.

圖2.3　不同價值網絡重視不同的屬性

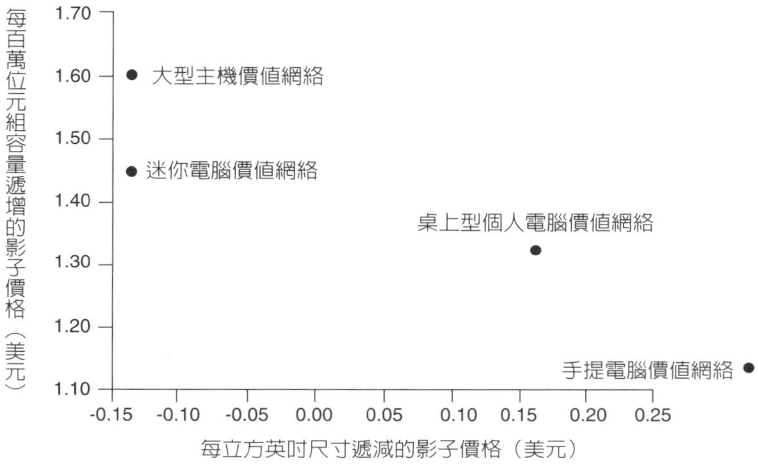

價格（shadow prices）的總和，而所謂的影子價格，即是市場對每一項產品特性所給予的價值，有些爲正，而有些爲負。圖2．3顯示部分的分析結果，代表了不同的價值網絡對於某項產品性能屬性的不同價值。一九八八年，大型主機價值網絡中的客戶願意以平均一．六五美元的價格支付容量的提升；但是在迷你電腦、桌上型電腦與手提電腦的價值網絡中，影子價格卻分別降至一．五〇美元、一．四五美元和一．一七美元。但是手提電腦和桌上型電腦的客戶願意用較高的價格支付硬碟的體積縮減，但其他價值網絡中的客戶則否。⑪

成本結構與價值網絡

價值網絡的定義不僅只限於實體產品的要件。例如，圖2．2所顯示的大型主機價值網絡所具有特殊的成本結構。研究、工程與研發成本是必要的。相對於直接成本，製造的間接成本較高，因爲單位產量低且爲客製化。直接銷售給終端使用者還必須投入銷售人力的成本，以及支援複雜機器的領域服務網絡，這些都是必要的花費。企業必須投資這些成本，才能提供價值網絡客戶所需的產品與服務。因此，大型主機的製造商及供應這些廠商的十四吋硬碟製造商，必須賺取五〇％到六〇％的毛利，才得以平衡他們在此價值網絡中所付出的間接成本。

手提電腦價值網絡則有不同的成本結構。這些廠商在研究元件科技上的花費極少，他們傾向於從其他廠商取得相關元件的技術。其生產方式是在低勞動成本的地區，組裝上百萬個元件。至於銷售大部分是透過當地零售連鎖店或郵購。因此在這個價值網絡中的企業，其毛利約在一五％到二〇％之間。不同的價值網絡除了對於產品屬性的價值有所不同外，成本結構也不盡相同。

圖2．4顯示了每一價值網絡的成本結構。十四吋硬碟廠商的毛利大約是六〇％，大型主機廠商則約有五六％。八吋硬碟廠商的毛利與迷你電腦廠商差不多（約四〇％），桌上型電腦廠商的毛利則爲二五％左右。

每一個價值網絡的成本結構特性，均會影響企業判斷具獲利潛力的創新計畫。對於企業的價值網絡或企業所位在的價值網絡而言非常重要的科技創新，如果價值網絡的毛利率高，

圖 2.4　不同價值網絡的成本結構特性

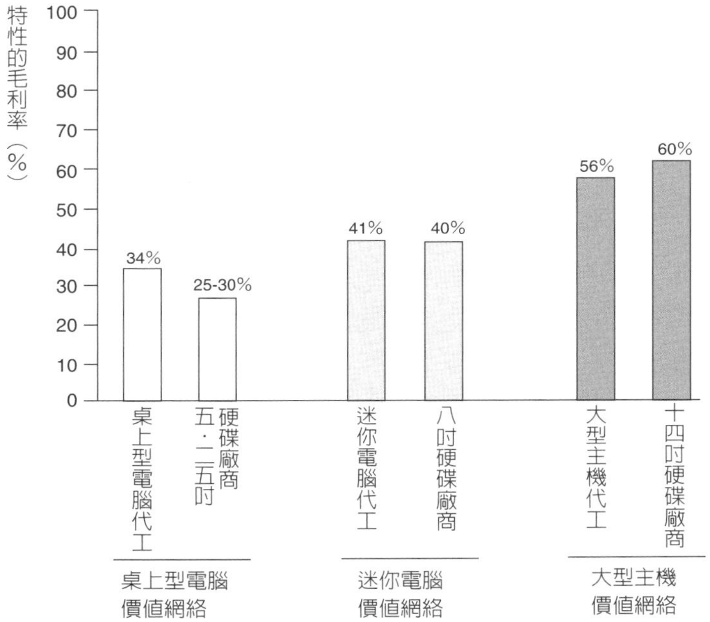

資料來源：Data are from company annual reports and personal interviews from several representative companies in each network.

就會認定是可獲利的；如果價值網絡的毛利率低，就不被認爲有利可圖的，因此就無法取得資源或引起管理階層的興趣（我會在第四章再詳細討論）。

綜觀上述，新科技對廠商的吸引力以及廠商研發新科技所面臨的困難度，是由廠商在相關價值網絡中的位置所決定。既有企業在延續性科技所具有的優勢以及面對突破性科技的無力——相對於新進企業的優勢與弱勢——不在於新進企業與既有企業在技術與組織能力上的差別，而是在於他們在不同價值網絡中的定位。

圖2.5　傳統科技S型曲線

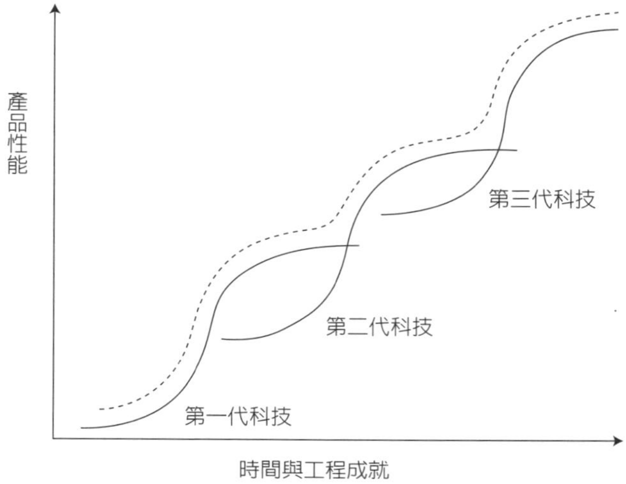

資料來源：Clayton M. Christensen, "Exploring the Limits of the Technological S Curve. Part I: Component Technologies," Production and Operations Management I, no. 4 (Fall 1992): 340. Reprinted by permission.

科技S型曲線與價值網絡

科技S型曲線是思考科技策略的重點。隨著技術的發展，產品性能提升的重要性也會有所變化。在技術發展的初期，性能的提升速度較緩慢。當科技更爲人所理解、控制以及更爲普遍時，提升的速度就會加快。[12]但是在成熟階段，科技就會面臨本質或實體的限制，必須花費更長的時間、投注更多的工程努力，才能獲得提升。圖2．5說明了這種模式。

許多學者認爲，策略性科技管理的目的，在於確認現有科技S型曲線的回折點，找出並開發新興並超越現有技術的新一代科技。如圖2．5的虛線所示，企業的挑戰在於能否成功地在新、舊科技的交叉點轉換技術。無法觀察到逐漸興起的新科技並及時轉換技術，是既有企業失敗的主因，也是造成新進企業有機可趁的原因。⑬

S型曲線與價值網絡有何關連？⑭圖2．5所顯示的相互交叉的S型曲線架構，即是概念化了單一價值網絡中的延續性科技變革，圖中的Y軸代表產品性能的某單一指標（或要件的重要性排序）。與圖1．4相似的是，圖1．4是衡量新記錄技術對硬碟記錄密度所產生的延續性影響。每一項科技的漸進式改良都依循個別的曲線，但是當轉移至新的讀寫頭技術時，就會跳躍至另一條曲線。請記住在硬碟產業，沒有任何一個案例顯示新進企業利用延續性科技取得產業的領導地位，或搶占重要的市場地位。所有的案例均顯示，能夠預知現有科技成長趨緩，預先尋找、開發與運用新技術以維持原有提升速度的企業，都是在原有科技市場中居於領導地位的既有企業。這些企業承擔了極大的財務風險，早在十年前或更早就研發新科技、汰換必要的資產與技術。儘管面對這多種的挑戰，這些既有企業的經理人仍能靈活而敏捷地帶領企業順著圖2．5的虛線攀登而上。

但是就突破性創新而言，就不適用圖2．5的模式，因爲Y軸的產品性能的衡量標準不同於既有價值網絡的指標。突破性科技在進入既有價值網絡之前，在新興的價值網絡中開始商業化，請參考圖2．6的S型曲線。突破性科技在其原生的價值網絡中，依據其特有的軌道成長與進步，當它進步到符合另一價值網絡所需的性能層級與特性時，就開始入侵，並以

圖2.6　突破性科技S型曲線

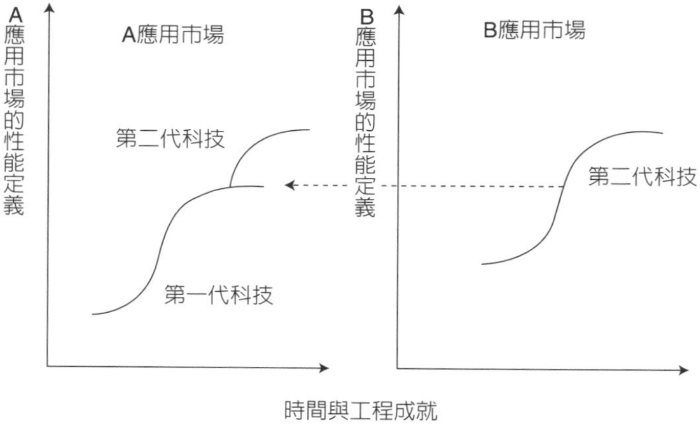

資料來源：Clayton M. Christensen, "Exploring the Limits of the Technological S Curve. Part I: Component Technologies," Production and Operations Management 1, no. 4 (Fall 1992): 340. Reprinted by permission.

迅雷不及掩耳的速度擊敗此一價值網絡中的既有企業。

圖2．5及2．6清楚地顯示出造成領導企業失敗的創新困境。在硬碟產業中（本書稍後會討論其他產業），增加研發投資、較長的投資與規畫視野、科技預測和規畫、尋找財團與創投資本等解決方法，只能解決因延續性創新所產生的問題。證據顯示，許多優秀的既有企業在面對延續性科技時，都採取以上的解決方法，也獲得極佳的成就，但是這些方法無法應用在圖2．6的情況。

管理決策的制定與突破性科技

價值網絡中各廠商間的競爭，決定了他們獲利的模式。網絡決定了廠商必須提供何種產品與服務以回應客戶的問題，以及解決問題所需支付的成本。價值網絡中的競爭與客戶需求決定了廠商的成本結構、維持競爭所需的經營規模以及必要的成長率。因此適用於價值網絡外的管理決策，不一定適用於價值網絡內的企業，反之亦然。

第一章中我們看到相當一致的模式：既有企業可以成功地通用延續性科技，卻無法在突破性科技中贏得勝利。這樣的模式之所以可行，是因爲導致這種結果的管理決策是合理的。因爲優秀的經理人只做合理的決策，而合理與否則由其所處的價值網絡決定。

我訪問了超過八十位的經理人，他們都是來自於硬碟產業的領導企業，其中包括既有企業與新進企業，這些人都是帶領企業度過突破性科技衝擊的重要人物。在完成所有的訪問後，我歸納出決策模式的六大步驟。在訪問過程中，我盡可能地重建與整合所有的論點，試點找出是什麼力量影響這些企業在面對與其所處之價值網絡相關或不相關的科技開發與商業化問題時的決策過程。我的研究結果發現，既有企業在面對突破性科技變革時，絕對有能力研發必要的「科技」；通常在管理階層做出決策之前，新硬碟的原型就已開發出來。但是，在與其他產品與科技研發提案共同競爭的結果，突破性科技研發計畫往往只分配到極少的資源，也使得這些計畫最後無以爲繼。延續性科技計畫訴諸於企業主流客戶的需求，比起市場規模小、客戶需求不明的突破性科技，更易獲得大量的公司資源。

這種決策模式會在以下的內容詳細討論。我將以希捷科技做爲說明範例，它是五・二五吋硬碟的主要廠商，最終成功地轉型爲三．五吋硬碟製造商。⑮

第一步驟：突破性科技首先由既有企業開發成功

雖然新進企業在突破性科技商業化方面占有領導地位，但是通常是既有企業的工程師私下取得資源、首先開發出突破性科技。這些在架構上有所創新的設計，通常是將現有的元件以不同的方式組裝，很少是由管理階層所構想出。希捷科技的工程師在一九八五年，開發出業界第二台三．五吋硬碟原型。在高層管理階層正式批准研發計畫時，工程師已生產出八十台的原型機。同樣的情形也發生在Control Data和Memorex，兩者都是十四吋硬碟的主要廠商，兩家企業的工程師也是私自開發出八吋硬碟原型，兩年後公司才正式推出八吋硬碟。

第二步驟：行銷部門探詢主要客戶的反應

而後這些工程師們將他們所開發的原型展示給行銷部門，詢問是否有適合體積較小、價格較低廉（性能較弱）的市場。行銷部門沿襲過去的新產品市場測試程序，將原型展示給既有產品的主流客戶，詢問他們的看法。⑯於是希捷的行銷人員將新的三．五吋硬碟原型展示給IBM個人電腦部門與其他XT和AT桌上型個人電腦製造商——這些客戶所需的磁碟容量遠低於大型主機。

毫無意外的，IBM對於希捷的突破性產品不感興趣。IBM的工程師與行銷人員需要的是四〇MB到六〇MB的硬碟，而且他們已經擁有與其電腦相容的五·二五吋硬碟；他們需要的是在既有性能提升軌道上更高級的硬碟。因爲客戶的冷淡反應，希捷的行銷部門對此產品的市場預估非常悲觀。此外，因爲這項產品較爲簡易，性能較弱、利潤低於性能較高的產品，所以希捷的財務部人員附和行銷部的意見，反對這項計畫。高層管理人員便決定擱置這項計畫，然而此時三·五吋硬碟已成功地進入膝上型電腦市場。

要在眾多的提案中做出決定，並將資源分配給行銷人員認爲可以留住現有客戶、達到高成長與獲利目標的新產品研發計畫，是一個相當複雜的決策流程。「我們需要新的產品款式，」前希捷經理人說到，「可以像ST412一樣地成功（這是希捷相當成功的產品，在其生命週期結束前，每年仍可創造高達三億美元的營業額）。我們對於三·五吋硬碟的預估不到五千萬美元，因爲膝上型電腦市場才剛起步，三·五吋硬碟並不符合公司對獲利的要求。」

希捷經理人決定不開發這項突破性科技。某些公司的經理人也許同意研發突破性產品，但是在決定日常的時間與資源分配時，工程師和行銷人員都會以企業的最大利益爲考量，因此無形中使得突破性科技研發計畫無法取得即時推出產品所需的資源。

當年十四吋硬碟技術的領導者爲Control Data，其中一位工程師正式獲得許可，研發新的八吋硬碟。它的客戶需要三〇〇MB的硬碟，但是Control Data所生產的八吋硬碟不到六〇

MB。因爲八吋硬碟研發計畫對公司而言較不重要，因此負責的工程師經常被要求協助解決十四吋硬碟的問題，以服務Control Data最重要的客戶。同樣的情形也發生在昆騰與Micropolis的五．二五吋硬碟研發計畫上。

第三步驟：既有企業擬定延續性科技發展速度

為了回應既有客戶群的需求，行銷經理人全力支援延續性科技研發計畫，如製造更精良的讀寫頭或是新的記錄碼技術。這樣不僅可以滿足客戶需求，並創造維持成長所需的營業額與利潤。雖然必須投注大筆的研發費用，但是延續性科技投資的風險，遠低於突破性科技投資：因爲客戶已知、需求已知。

希捷在一九八五年至一九八六年間，擱置三．五吋硬碟研發計畫的決定在當時看起來是正確的。就低階市場的觀點而言，一九八七年的三．五吋硬碟市場規模太小，市場的毛利未知；但是製造部門的主管預估，三．五吋硬碟的每百萬位元組的成本遠高於五．二五吋硬碟。但是高階市場的觀點又有所不同，容量爲六○MB到八○MB的五．二五吋硬碟的銷售額，至一九八七年可達五億美元。主攻六○MB到八○MB市場的公司其毛利約在三五％到四○％之間，而希捷的二○MB硬碟的毛利率約在二五％到三○％之間。因此希捷沒有理由投入資源支持三．五吋硬碟的開發，而必須全力研發新的ST521系列產品以轉向高階市場發展。

就在否決了三・五吋硬碟的研發計畫後，希捷開始以極驚人的速度推出新的五・二五吋硬碟。在一九八五、一九八六和一九八七年間，每年所推出的新產品數量與其市場上所有產品數量的百分比分別爲五七％、七八％和一一五％。就在同期間，希捷也研發出複雜的元件技術，如薄膜磁片、音圈啓動裝置（voice-coil actuator）⑰、RLL編碼、SCSI介面。他們研發這些新科技的目的是爲了擊敗其他的既有企業，而非爲新進企業的可能攻擊做好準備。⑱

第四步驟：新公司成立，並從一連串錯誤嘗試後找出突破性科技的市場

新成立的公司，其中有許多是因爲在既有企業遭受挫折而前來投靠的工程師，而公司成立的目的，通常是爲了開發突破性產品架構。康能周邊設備是三・五吋硬碟製造商的領導廠商，其創辦人均是對希捷與Miniscribe有所不滿而自行創業，而這兩家公司當時都是五・二五吋硬碟的兩大廠商。八吋硬碟製造商Micropolis的創辦人也是來自於十四吋硬碟製造商Pertec。而Shugart和昆騰的創辦人都來自於Memorex。⑲

然而新進企業也同樣地無法說服既有電腦製造商接受突破性架構，因此他們必須找尋新的客戶。經由不斷地探測，他們發現了迷你電腦、桌上型個人電腦與膝上型電腦市場。仔細想想，這些市場是存在的，但是對於其規模與重要性卻仍是一無所知。Micropolis成立之

時，桌上迷你電腦與文字處理機市場仍未興起，然而這兩者均是後來他們產品的主力市場。希捷成立之時，個人電腦還只是玩家的玩具，兩年後ＩＢＭ才推出自行開發的個人電腦產品。康能周邊設備成立當初，康柏仍未察覺手提電腦市場的潛力。這些新公司的創辦人在銷售產品時，並沒有一個明確的行銷策略，只是很單純地將產品銷售給願意購買的人。然後在不斷地嘗試錯誤之後，最終的主要市場即逐漸浮現。

第五步驟：新進企業打入高階市場

一旦新公司在新市場建立了運作基礎，只要他們在新元件技術上採取延續性創新，[20]就能以新市場所需的更快速度，提升硬碟的容量。他們致力於達成年成長率五〇％的目標，進入高於其營業額規模之上的大型既有電腦市場。

既有企業的低階市場觀點與新進企業的高階市場觀點是不對稱的。既有企業認爲低階硬碟的新興市場獲利低而且規模太小；相反地，新進企業認爲在其之上的高階、高性能市場是極有潛力與吸引力的。這些既有市場的客戶最終會接納原先所拒絕的新架構，因爲只要符合他們對於容量與速度的需求，新硬碟的小體積與架構單純性會使這些新硬碟更爲便宜、更快速、更可靠。因此，希捷由桌上型個人電腦起家，而後進入在迷你電腦、工程工作站和大型主機電腦硬碟市場取得主導地位。而希捷則是受到康能和昆騰這兩家三．五吋硬碟先驅者的侵入而被逐出桌上型電腦市場。

第六步驟：既有企業亡羊補牢地追隨潮流捍衛自己的市場

當較小體積的硬碟侵入既有市場，原先掌控這些市場的硬碟廠商便開始推出自有的硬碟原型，以保住原有市場的客戶基礎。當然，新架構採取突破性科技，在性能上也極具競爭力。也有某些既有企業可以透過新架構產品的推出保衛自有的市場地位，但是新進企業在製造成本與設計經驗上明顯占有優勢，逼使既有企業不得不退出市場。這些新進企業成本結構的設計符合低獲利的目標。因此這群攻擊者的產品價格較具競爭力，更有本錢與既有企業大打價格戰。

至於成功推出新架構的既有企業而言，存活是唯一的報酬。沒有任何一家既有企業在新市場取得一定程度的市場占有率；新硬碟輕易地就吸引了既有客戶。因此在一九九一年，希捷所生產的三．五吋硬碟沒有一台是賣給手提／膝上型電腦製造商；其三．五吋硬碟的客戶仍以桌上型電腦製造商爲主，多數的三．五吋硬碟可以安裝在使用五．二五吋硬碟的XT與AT電腦上。

而十四吋硬碟的領導者Control Data在微電腦的市場占有率不到一％，該企業在八吋硬碟市場興起後的第三年才開始加入生產的行列，而且大部分的硬碟都是銷售給大型主機製造商。Miniscribe、昆騰和Micropolis在推出新硬碟時，也同樣遭受慘痛的經驗。他們無法在新市場取得一定市佔率，頂多只能保有一部分原有的客戶。

「貼近客戶的需求」是一句老生常談，但並非完全正確。[21]客戶可以引導供應商發展延續性科技創新，但是卻無法在突破性科技變革上占有領導地位。[22]

快閃記憶體與價值網絡

價值網絡的力量已由快閃記憶體的興起而獲得證實。快閃記憶體是一種固態半導體記憶技術，主要是將資料儲存在矽晶片上。快閃記憶體與傳統的動態隨機存取記憶體（DRAM）技術不同，儲存在此晶片上的資料不會因爲電源中斷而流失。快閃記憶體也是一種突破性科技。快閃晶片在存取資料時所消耗的電力是相同容量硬碟所消耗電力的五%以下，而且因爲快閃晶片沒有移動式元件，當然要比任何型態的硬碟更耐震。不過快閃記憶體也有缺點，就記憶容量而言，快閃記憶體每百萬位元組的成本是硬碟的五到五〇倍之間；另外，這種記憶體在寫入的功能上也不如硬碟，快閃記憶體的複寫次數只有數萬次，而硬碟則可重複執行百萬次的複寫動作。

最初快閃記憶體的應用與電腦比較沒有關係，通常是用在手機、心律調整器、數據機、工業用機器人等，這些裝置都分別內建有快閃記憶體。硬碟體積太大，太脆弱，電力消耗過大，不適合以上的產品。到一九九四年，這種各別封裝快閃晶片——插口快閃晶片（socket flash）——的盈收從一九八七年的零激增爲十三億美元。

一九九〇年代初期，快閃記憶體的製造商製造出另一種新產品，稱作快閃記憶卡（Flash Card）：由數個如信用卡大小般的裝置所組合而成，其上固定有多個快閃晶片，這些晶片由控制電路（controller circuitry）所連接。快閃記憶卡上的晶片是由控制電路所控制，這些電路就是所謂的小型電腦標準介面（small computer standard interface, SCSI），同樣使用在硬碟中，因此快閃記憶卡可以如硬碟一樣進行大量資料儲存的動作。快閃記憶卡的市場從一九九三年的四千五百萬美元成長到一九九四年的八千萬美元，專家預測到了一九九六年將成長爲兩億三千萬美元。

快閃記憶卡是否會侵入硬碟製造商的核心市場？如果是，硬碟製造商該何去何從？他們可以藉由捉住新科技潮流繼續其領導地位？或是就此消失於市場中？

科技能力的解釋架構

克拉克的科技階層概念（technological hierarchies，請參考④），是指企業過去解決各項產品科技問題所累積的技能與科技認知。在評估快閃記憶卡對於硬碟製造商的威脅時，運用克拉克的架構，或是與圖許曼、安德森相關研究結果（參看⑤）的人，會將焦點放在硬碟製造商在積體電路設計，以及多重積體電路裝置的設計與控制上所累積的專長。這樣的分析架構會使我們得到以下的結論：如果硬碟製造商在這些領域上經驗不足，就無法成功開發快閃記憶卡產品；如果他們的經驗夠豐富，則有成功的可能。

就表面上看來，快閃記憶卡是一種全新的電子技術，完全不同於硬碟廠商的核心競爭力（磁性技術與機械性技術）。但是如昆騰、希捷與Western Digital在客戶訂製的積體電路設計上已有穩固的基礎，他們可以內嵌更多智慧型控制電路與快取記憶體（cache memory）。與特殊功能積體電路（application-specific integrated circuit, ASIC）相同的是，他們的控制晶片都是由獨立的第三者裝配廠所組裝，這些廠商擁有無塵室半導體製程能力。

現在每一家硬碟領導廠商的做法，是自行設計硬碟、從其他獨立供應商取得相關元件、再由自己的工廠或與別家廠商簽約進行組裝，最後推出市場銷售。快閃記憶卡市場的運作也類似：快閃記憶卡製造商負責設計，向其他廠商採購快閃晶片組件，再自行設計或安裝介面電路，如SCSI，控制硬碟與計算裝置的溝通；然後自行負責或委託其他廠商組裝，最後推出市場銷售。

換句話說，快閃記憶其實是在既有的技術能力基礎上發展而成的。如果以技術能力的觀點而言，硬碟製造商在開發快閃儲存技術上應該不會有太大的問題。更確切地說，這些在IC設計技術上已有豐厚基礎的廠商，如昆騰和Western Digital，可以立即推出快閃產品。至於其他將電子電路設計外包給其他廠商的公司，就可能要面臨痛苦的掙扎。

的確，這就是現今的實況。希捷科技最初在一九九三年時藉由收購SunDisk Corporateion二五%的股權而進入快閃市場。從此希捷與SunDisk Corporateion兩家公司便共同著手設計快閃晶片以及快閃記憶卡；晶片委由松下（Matsushita）製造；而介面卡則由一家韓國廠商Anam負責。希捷自己負責市場行銷及業務拓展。昆騰則與Silicon Storage Technology合作，共同設計晶片，而後委由其他廠商組裝。

組織性結構的解釋架構

就克拉克與海德遜而言，快閃技術屬於激進式科技，其產品架構與基本技術概念相對於硬碟而言是非常新穎的。就組織結構而言，除非企業另行成立獨立小組負責快閃產品的設計，否則既有企業失敗的可能性會大增。希捷與昆騰即是以獨立的小組完成產品的開發。

科技S型曲線的解釋架構

科技S型曲線常常用來預測新科技能否取代既有科技的重要指標。關鍵因素在於既有科技的斜率，如果曲線通過其回折點，那麼它的第二導數（second derivative）就是負值（科技提升的速度逐年下降），此時新科技便會興起並取代既有科技。圖2．7顯示，磁阻式磁片

圖 2.7　新硬碟區域密度的提升

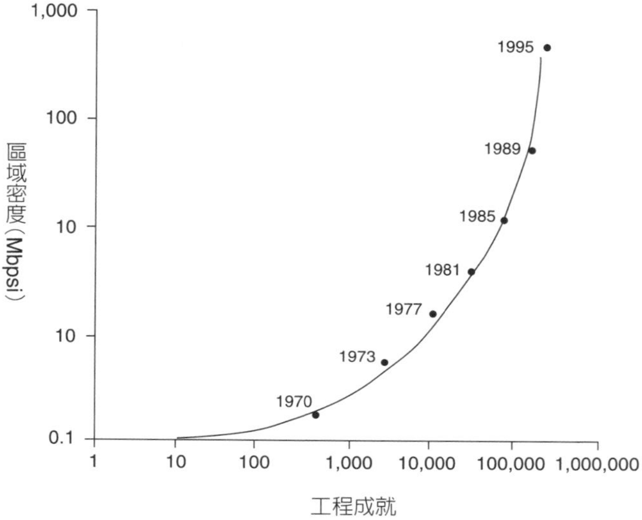

資料來源：Data are from various issues of *Disk/Trend Report*.

記錄技術的S型曲線仍未達到其回折點：區域密度不僅在提升，而且速度是年年加快。

由此S型曲線架構我們可以預測：無論硬碟製造商是否擁有設計快閃記憶卡的能力，快閃技術不會對他們造成任何威脅，直到磁性記憶技術的S型曲線通過其回折點，而區域密度提升的速度開始下降爲止。

價值網絡架構的洞見

價值網絡的概念，在於前述的解釋架構沒有一項可以有效地預測成功。換句話說，即使既有企業不具有發展新技術所需的科技，但只要客戶有需求，他們仍可以整合相關資源以發展或取得新技術。此外，價值網絡主張，科技S型曲線只有在延續性科技上是有效的預測指標。一般而言，突破性科技的改良速度與既有科技平行，兩者的提升軌道並沒有交集。因此，利用S型曲線評估突破性科技，根本上是錯誤的。眞正重要的是，新興的突破性科技，其提升軌道是否與市場需求產生交集。

價值網絡認爲，即使如希捷或昆騰等有能力在技術上開發具競爭力的快閃記憶產品，但是他們是否能夠投入適當的資源與管理能力、以便在新科技市場中占有一席之地，其實取決於企業所處的價值網絡（可以讓他們創造財富的價值網絡）是否重視和應用快閃技術。

一九九六年時，快閃記憶卡的價值網絡不同於典型硬碟的價值網絡。圖2・8顯示了自一九九二年至一九九五年間，每年新推出的快閃記憶卡其平均容量（以百萬位元組計），並與筆記型電腦市場所需的二・五吋及一・八吋硬碟容量相互比較。雖然快閃記憶卡較耐震、電力耗損低，然而其容量仍不符合筆記型電腦的大量儲存需求。快閃記憶卡的價格過高，不符合手提電腦低階市場（一九九五年爲三五○MB）的需求：三五○MB容量的快閃記憶卡成本是同容量硬碟的五十倍。[23]快閃記憶卡的低電力耗損與耐震功能，對於桌上型電腦來說並不重要。換句話說，昆騰與希捷的主力市場不需要快閃記憶卡。

因爲快閃記憶卡的應用市場——掌上型電腦、電子書寫板、收銀機、電子相機等等，不同於昆騰與希捷原有的市場。以此觀點來看，昆騰與希捷等企業不可能在快閃記憶卡市場上

圖 2.8　硬碟記憶與快閃記憶卡容量比較

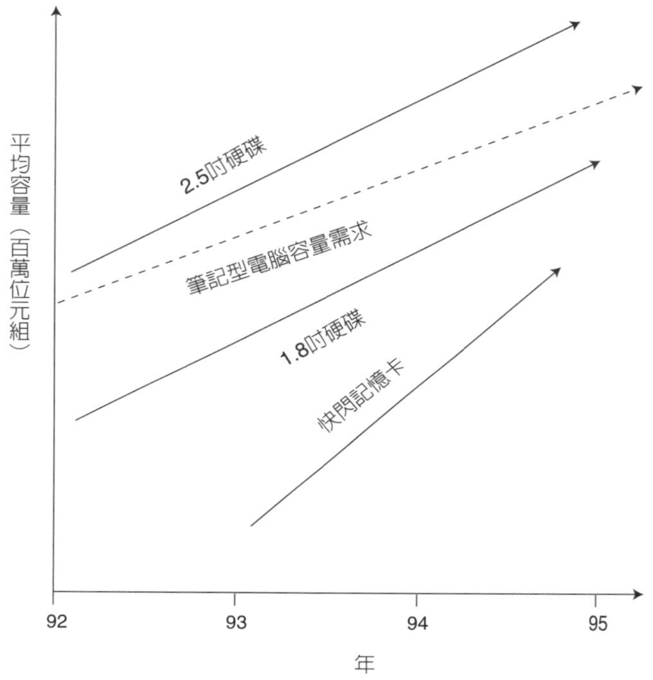

資料來源：Data are from various issues of *Disk/Trend Report*.

取得領導地位。這並非是科技的困難，而是他們必須保衛主流硬碟價值網絡中的高額利潤。

的確，一位快閃記憶卡製造商的行銷主任觀察到，「我們發現，當硬碟製造商提升到兆位元組的層級時，就會在低階市場失去競爭力。因此，硬碟製造商正在退出一〇MB到四〇MB的市場，這也給了快閃記憶卡製造商一個機會。」㉔

硬碟製造商在快閃記憶卡業務的開拓上仍是困難重重。在一九九五年時，昆騰與希捷在快閃記憶卡的市場占有率只有百分之一。兩家公司的結論是快閃記憶卡的市場仍未成熟，因此同年他們決定退出市場。然而，之後希捷取得SunDisk少部分的股權，這是進入突破性科技的有效策略。

價值網絡對於創新的意義

價值網絡清楚地定義和限制了企業可做與不可做的範圍。本章最後就以五大前提說明價值網絡所揭露的科技變革本質與既有企業面臨的問題：

一、企業所位處的體系或價值網絡，影響了企業投注相關資源和能力以克服妨礙創新之障礙的科技與組織能力。價值網絡的範圍由特定的產品性能所決定——各項性能屬性重要性之排序，不同的使用系統有不同的排序。價值網絡同時依據特定的成本結構所定義，成本是指此價值網絡爲滿足其客戶需求所支付的金額。

二、創新計畫能在商業上獲得成功、創造利潤的關鍵在於：企業對於價值網絡內既有客戶需求的滿足程度。與價值網絡內需求相同的各種創新都是由既有企業所主導，包括元件與架構，更甚者包含了複雜而困難的技術。這些都是延續性創新；其價值與應用都很明確。相反地，既有企業在面臨符合新興價值網絡客戶的需求時，就落後許多，即使是非常簡單的科技；而突破性科技的複雜在於其價值與應用都是未知的。

三、當兩個獨立的發展軌道有所交集時，如果企業選擇忽略不符合客戶需求的科技，會是致命的錯誤。第一條是既定的價值網絡中，一段期間內所需的性能；第二條是科學家在既有科技體系下所能開發的性能。科技所能開發的性能提升軌道，也許不同於既定價值網烙內下游客戶使用系統所需的性能提升軌道。當兩軌道的斜率相似時，就表示這項科技仍停留在其原先的價值網絡中。若斜率不同，興起於遠端新興市場、性能具有競爭力的新科技機會侵入其他價值網絡，使得新市場的創新者得以擊敗既有企業。這樣的情形之所以發生，是因爲科技的進步使得各價值網絡的性能屬性排序的差異逐漸減少。例如，硬碟的體積與重量在桌上型電腦價值網絡中是重要的考量因素，在大型主機與迷你電腦價值網絡中則沒有那麼重要。當五．二五吋硬碟的科技進步使得製造商得以滿足大型主機和迷你電腦對於性能屬性的優先需求時——高容量與高速，價值網絡間的界限就不再是阻礙五．二五吋硬碟製造商進入的障礙了。

四、新進企業在某些創新上具有攻擊者優勢（attacker's advantage）——通常是指科技本質上沒有較大改變的新產品架構，這些創新改變了既有科技軌道的層級、速度與方向的創新。這些科技在既有價值網絡中無法創造價值，想要使這些科技在商業上獲致成功，唯一的方式就是進入可以創造價值的價值網絡。如同李察．泰德羅（Richard Tedlow）在一篇論述美國零售業發展史的文章中（它將超級市場與折扣零售業視爲突破性科技）提到的，「既有

企業面臨的一大挑戰，是他們不想這樣做。」㉕

五、由上所述可知，雖然「攻擊者優勢」與突破性科技相關，但是攻擊者優勢主要來自於新進企業比起既有企業更容易找到、並致力於開發新興市場應用或價值網絡。因此眞正的關鍵，在於成功的既有企業與新進企業在改變策略和成本結構上的相對彈性，而非科技本身。

以上的論點提供分析科技創新時一個新的角度；除了新科技與創新組織必備的能力之外，企業在面對突破性科技時必須清楚創新在其價值網絡的意義何在。重要的考量點在於，創新所強調的性能屬性是否在創新者的價值網絡中受到重視；是否需要找尋或創造新的價值網絡以實現創新的價值；市場與科技成長軌道是否有交集——現今不符合客戶需求的科技也許未來會符合他們的需求。

這些考量點不僅適用於創造現代科技的企業，如本章所提的快速、複雜而先進的電子、機械與磁性技術。第三章我將討論另一個完全不同的產業：挖土機產業。

註釋：

①參看 Rebecca Henderson and Kim B Clark, "architectural Innovation: The Reconfiguration of Existing Systems and the Failure of Established Firms" Administrative Science Quarterly (35), 1990, 9-10。

②Tracy Kidder, The soul of a New Machine (New York: Avon Books, Inc., 1981)。

③有學者研究，激進式與漸進式改良對於科技進步的貢獻程度。例如，約翰．愛農斯（John Enos）針對煉油的新工作流程進行了一系列的實證研究，他發現新科技的經濟效益有一半來自於新科技商業化成功後所導致的流程改造。請參考：J. L. Enos, "Invention and Innovation in the Petroleum Refining Industry," in The Rate and Direction of Inventive Activity: Economic and Social Factors, National Bureau of Economic Research Report (Princeton, NJ: Princeton University Press, 1962), 299-321。這個結論與我對硬碟製造業的研究極爲類似，區域密度的提升有一半得歸因於新元件科技，另一半則是既有元件的漸進式改進與系統設計的精確度提升。請參考：Clayton M. Christensen, "Exploring the Limits of the Technology S-Curve," Production and Operations Management (1), 1992, 334-366。

④請參考：Kim B. Clark, "The Interaction of Design Hierarchies and Market Concepts in Technological Evolution," Research Policy (14), 1985, 235-251。克拉克認爲，早期自動工程師利用汽油取代蒸汽或電動推進，這樣的選擇限定了後代工程師的技術進程，日後的工程師就不會在電動或蒸汽推進上有所精進。克拉克因此認爲，企業今日所擁有的設計技巧與科技知識來自於過去工程師對於何者該留、何者該捨的累積選擇。克拉克主張，如果科技的改良，需要企業長久累積的既有知識系統，這時就利於產業的既有企業；相反地，當改良需要不同的知識

系統，比起已經在其他產業累積足夠相關知識的企業，原產業的既有企業完全不具優勢。

⑤參看：Michael L. Tushman and Philip Anderson, "Technological Discontinuities and Organizational Environments," Administrative Science Quarterly (31), 1986, 439-465: Michael L. Tushman and Philip Anderson, "Technological Discontinuities and Dominant Designs," Administrative Science Quarterly (35), 1990, 604-633。

⑥價值網絡的概念來自於的「科技典範」（technological paradigm）。請參考：Giovanni Dosi, "Technological Paradigms and Technological Trajectories," Research Policy (11), 1982, 147-162。Dosi將科技典範定義為「經過選擇之科技問題的解決模式，選擇科技問題的標準則是依據經過選擇的自然科學原則與材料科技」（152）。新典範代表前一典範成長軌道的不連續。新典範重新定義了成長的意義，引導科學家朝向解決新的問題類別，而這是下一個正常科技發展所關注的目標。Dosi所分析的問題——新科技如何被選擇與取得——與企業面對變革時為何成功與失敗的問題，有極為密切的相關。

⑦這裡提出的價值網絡是我與羅森保（Richard Rosenbloom）所合力發展出的，並參考了兩篇文章：Richard Rosenbloom and Clayton M. Christensen, "Explaining the Attacker's Advantage: The Technological Paradigms, Organizational Dynamics, and the Value Network," Research Policy (24), 1995, 233-257: Richard S. Rosenbloom and Clayton M. Christensen, "Technological Discontinuities, Organizational Capabilities, and Strategic Commitments," Industrial and Corporate Change (3), 1994, 655-685。特別感謝羅森保教授在這個主題中所做出的精闢見解與無私奉獻。

⑧請參考：D. L. Marples, "The Decisions of Engineering Design," IEEE Transactions on Engineering Management EM8, 1961, 55-71: C. Alexander, Notes on the Synthesis of Form (Cambridge, MA: Harvard University Press, 1964)。

⑨在這個觀點上，也可看出價值網絡與Dosi的科技典範概念有極深的關連性。（請參考⑥）價值網絡的範疇與範圍由主導的科技典範與網絡中較高層的科技軌道所決定。如Dosi所稱，價值可定義為在價值網絡中的最高層使用系統裡，主要科技典範的功能。

⑩請參考：Michael Porter, Competitive Advantage (New York: The Free Press, 1985)。

⑪請參考：Clayton M. Christensen, The Innovator's Challenge: Understanding the Influence of Market Environment of Processes of Technology Development in the Rigid Disk Drive Industry, Harvard University Graduate School of Business Administration, 1992。

⑫請參考：D. Sahal, Patterns of Technological Innovation (London: Addison Wesley, 1981)。

⑬請參考：Richard J. Foster, Innovation: The Attacker's Advantage (New York: Summit Books, 1986)。

⑭請參考：Clayton M. Christensen, "Exploring the Limits of the Technology S-Curve," Production and Operations Management (1), 1992, 334-366。

⑮請參考：Clayton M. Christensen, The Innovator's Challenge: Understanding the Influence of Market Environment on Processes of Technology Development in the Rigid Disk Drive Industry, thesis, Harvard Uniersity Graduate School of Business Administration, 1992。

⑯這項程序與Robert Burgelman的觀察一致，他認為組織創業家的最大困難是找出正確的「數據測驗點」，也就是可與客戶相互共同開發與改進的地點。一般而言，是由銷售企業既有產品線的銷售人員去接觸客戶。這樣企業可以為既有市場開發新產品，而不須為新科技找尋新的應用市場。請參考：Robert Burgelman and Leonard Sayles, Inside Corporate Innovation (New York: The Free Press, 1996), 76-80。海德遜指出，不斷將新科技介紹給

主流客戶的趨勢，反映了一種更爲狹隘的行銷能力，不過許多學者以科技能力的角度解釋此議題，例如無法爲新科技找到新市場，是企業在創新上力有未逮的原因。

⑰音圈馬達（voice coil motor）比希捷先前推出的步進馬達（stepper motor）昂貴許多。在市場它已不是新科技，但是對希捷來說卻是一項全新的科技。

⑱請參考：Arnold Cooper and Dan Schendel, "Strategic Responses to Technological Threats," Business Horizons (19), February, 1976, 61-69。

⑲幾乎所有北美地區的硬碟製造商的創辦人都來自於ＩＢＭ位在聖荷西的事業單位，此部門負則磁性記錄產品的開發與製造。請參考：Clayton M. Christensen, "The Rigid Disk Drive Industry: A History of Commercial and Technological Turbulence," Business History Review (67), Winter, 531-588。

⑳一般來說，這些元件科技都是由大型既有企業所開發，這些企業主導了既有市場。因爲新元件對於科技軌道具有延續性影響，這些高階既有企業對於延續性創新最爲熱衷。

㉑Eric von Hippel在他的研究中證明了傾聽客戶的價值，他認爲大部分的新產品創意都來自於客戶。請參考：Eric von Hippel, The Sources of Innovation, New York: Oxford University Press, 1998。未來的研究方向必須是重新檢視Hippel的實驗數據。依據價值網絡的觀點而言，符合客戶需求的創新都屬於延續性創新，我們相信突破性創新是來自於其他不同來源。

㉒海德遜在研究照相平面印刷設備時，也觀察到被客戶誤導的潛在危險。請參考：Rebecca Henderson, "Keeping Too Close to Your Customers," Massachusetts Institute of Technology Sloan School of Management working paper, 1993。

㉓許多產業觀察家發現，製造硬碟成本的底價大約在一二〇美元左右，遠低於頂尖製造商所能負擔的上限。這項

成本包括設計、製造和組裝必要元件。硬碟製造商持續提升硬碟的百萬位元組數目，以降低百萬位元組的成本。這項底價的效果對於硬碟與快閃記憶卡之間的競爭，可能會造成極大的影響。就低容量應用而言，當快閃記憶卡的價格下滑，使得快閃記憶卡在成本上具有競爭力。磁阻式硬碟的百萬位元組成本比快閃記憶卡低，而廠商最終仍會轉往高階市場發展。其模式類似於大型硬碟架構轉往高階市場發展。專家預測，到了一九九七年，四〇MB的快閃記憶卡的價格與相同容量的硬碟，可說是沒有任何差別。

㉔ Lewis H. Young, "Samsung Banks on Tiny Flash Cell," Electronic Business Buyer (21), July, 1995, 28。

㉕ Richard Tedlow, New and Improved: A History of Marketing in America, (Boston: Harvard Business School Press, 1994)。

第二章
突破性科技與挖土機產業

> 在硬碟產業中，每一項突破性創新興起後數年即會入侵既有市場，而液壓技術卻花了二十年的時間。但與硬碟產業相同的是，液壓技術對於挖土機製造商而言，也是一項關鍵而痛苦的決定。

挖土機（excavators）和蒸汽挖土機（steam shovel）都是銷售給挖掘工程承包商的大型資本設備。很少人認爲這是一個技術快速變遷的產業，但是它與硬碟產業有幾分類似；就其發展史來看，領導企業不論在元件與架構上，都已開發出一系列的延續性創新，不論是漸進式的或是激進式的，但是幾乎所有的機械式挖土機廠商都因爲一項突破性創新而消失於舞台——液壓技術。領導企業的經濟結構與其客戶需求，導致他們完全無視於這項新科技的存在。在硬碟產業中，每一項突破性創新興起數年即會入侵既有市場，而液壓技術卻花了二十年的時間。但與硬碟產業相同的是，液壓技術對於挖土機製造商而言，也是一項關鍵而痛苦的決定。①

圖3.1　Osgood General所生產的電纜引動機械挖土機

資料來源：Osgood General photo in Herbert L. Nichols, Jr., Moving the Earth: The Workbook of Excavation (Greenwich, CT: North Castle, 1995)。

延續性科技的領導企業

自從一八三七年威廉・史密斯・奧帝斯（William Smith Otis）發明蒸汽挖土機之後，直到一九二〇年代，機械挖掘設備都是蒸汽動力的天下。它是由中央鍋爐產生蒸汽之後，以導管輸送到每一個小型蒸汽引擎，以提供所需要的動力。在經過一系列串連的滑輪（pulley）、滾筒（drum）與電纜機制以控制前方的大型鏟斗（如圖3・1中所看到的），蒸汽挖土機當時主要是用來進行鐵路與運河挖掘的工程。美國挖土機的製造廠全部集中在北俄亥俄州以及威斯康辛州的密爾瓦基市。

一九二〇年代初期，僅在美國境內

就有超過三十二家企業生產蒸汽挖土機，就在此時，產業經歷了第一次的重要科技變革，汽油動力引擎取代了舊式的蒸汽動力。②這次的轉變完全符合海德遜以及克拉克兩位教授所謂的激進式科技轉變。關鍵元件（引擎）的基本科技概念從蒸汽轉變至內燃式引擎，基本的架構也有所改變。蒸汽挖土機利用蒸汽壓力推動一組蒸汽引擎以延長或收縮控制鏟斗的電纜；汽油動力挖土機則是運用單一的引擎，並藉由齒輪、離合器、滾筒與制動器結合而成的系統以捲動電纜。汽油動力科技雖是激進式變革，但是對於機械挖土機產業仍有延續性影響。汽油引擎有足夠的馬力，讓承包商可以更快速地挖掘，其成本也低於最大型蒸汽挖土機。

汽油引擎科技的領導創新者都是產業的既有企業，如Bucyrus、Thew、Marion。二十五家大型蒸汽挖土機製造商中，有二十三家成功地移轉至汽油動力。③在一九二〇年，汽油動力科技領導者很少是新進企業，都是由既有企業主導這次的科技變革。

大約從一九二八年開始，汽油動力挖土機製造商再度開發新一代、較不激進的延續性科技轉變——利用柴油引擎與電動馬達的單鏟斗挖土機。第二次世界大戰之後，又開發出拱型吊架，它的延伸距離更長、鏟斗承載量更大、向下延伸更具彈性。以上的每一次創新都是由既有企業所主導。

挖掘工程承包商在其他的延續性創新上也有實質的貢獻，他們會自行修正設備以提升挖土機的性能，而挖土機製造商也會依據這些修正改良產品，再銷售至更廣大的市場。④

圖 3.2　汽油動力的電纜挖土機廠商（一九二〇～一九三四）

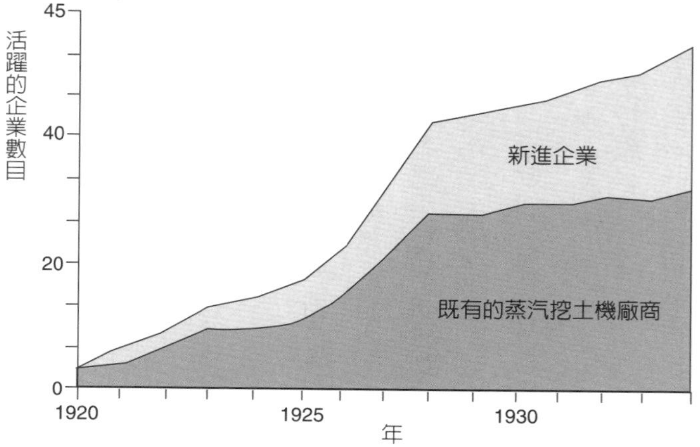

資料來源：Data are from the Historical construction Equipment association and form The Thomas Register, various years.

突破性液壓科技的衝擊

下一個重要的科技變革，則吹起了產業的倒閉風。第二次世界大戰結束後不久，一直持續到一九六〇年晚期，柴油引擎仍是主要的動力來源，但是一種可以延伸與舉起鏟斗的新科技開始興起：液壓引動系統（取代電纜引動系統）。在一九五〇年，電纜引動設備製造商約有三家，其中只有四家（Insley、Koehring、Little Giant、Link Belt）在一九七〇年代時成功地轉型至液壓挖土機（hydraulic excavator）製造商。有些廠商轉移至露天採礦與疏浚所需的大型電纜引動挖土機。[5]其餘的則多遭到關廠的命運。此時期進入挖土設備產業的都是擁有液壓技術的新進企業，如J. I. Case、John Deere、Drott、福特（Ford）、J. C. Bamford、Poclain、International

Harvester、Caterpillar、O&K、Demag、Leibher、小松（Komatsu）和日立（Hitachi）。⑥是甚麼因素導致這樣的結果？

機械挖土機市場的性能需求

挖土機只是眾多挖掘設備的其中一種，其他的還包括推土機、塡土機、平路機、刮土機等；換句話說所有能夠推、整、挖土的機具全部都包括在內。挖土機⑦一般多半用來挖洞和溝壕，主要的市場有三：第一也是最重要的一個——一般挖掘市場，包括承包地下室挖掘或是都市計畫工程（例如運河挖掘）等的工程承包商；第二種是下水道或埋設管線等需要挖掘長形溝壕的承包商；第三種是挖掘礦坑或露天採礦的承包商。承包商在衡量挖土機功能時，是以其延伸距離和單一勺斗（scoop）可承載的立方碼土石量⑧爲基準。

在一九四五年，下水道與埋設管線承包商使用的機器，其鏟斗（bucket）的平均承載量爲一立方碼（最適合挖掘狹長的溝壕）；而一般挖掘承包商所使用的挖土機，每一勺斗平均爲二．五立方碼；採礦用的大約是五立方碼。每一市場的鏟斗承載量每年平均有百分之四的成長率，增加的幅度受限於更廣泛的使用系統的其他因素，如將大型機械運至或運出工程地點的後勤問題，即限制了承載量的成長率。

液壓技術的形成以及發展軌道

第一部運用液壓技術的挖土機是在一九四〇年時，由一家英國公司班姆福特（J. C. Bamford）所生產。至一九四〇年晚期，開始有數家美國公司生產類似的產品，如Hemry Company、Topeka、Kansas、Sherman Products, Inc、Royal Oak、Michigan。他們所採用的方式稱爲「液壓傳動」（Hydraulically Operated Power Take-Off），簡稱爲HOPTO。[9]

他們所生產的機器稱爲反鏟挖土機（backhoe），它是固定在工業用或農業用曳引機上。反鏟挖土機的挖掘方式是將鏟斗向外延伸，再下推至土中，[10]轉動鏟斗再將其拉出土中。因爲受限於液壓幫浦的動力與強度，此類機器的承載量只有1／4立方碼，如圖3．3所示。鏟斗的延伸距離也只能到達六英呎。然而最好的電纜挖土機可以在其履帶基座（track base）上做三百六十度的旋轉，然而反鏟挖土機只能有一百八十度的旋轉。

因爲他們的承載量太小、延伸距離又短，液壓挖土機對於採礦、一般挖掘或下水道挖掘工程的承包商來說，一點用處也沒有，他們需要一到四立方碼承載量的挖土機。因此，新進企業必須爲他們的新產品開發新的應用市場。他們想到將其挖土機固定在工業用與農業用曳引機上，合作的廠商包括福特、J. I. Case、John Deere、International Harvester、Massey Ferguson。小型住宅承包商購買這些設備挖掘排水溝、埋設管線以建造房屋地基。這些小工

圖 3.3　液壓技術對機械挖土機市場的突破性影響

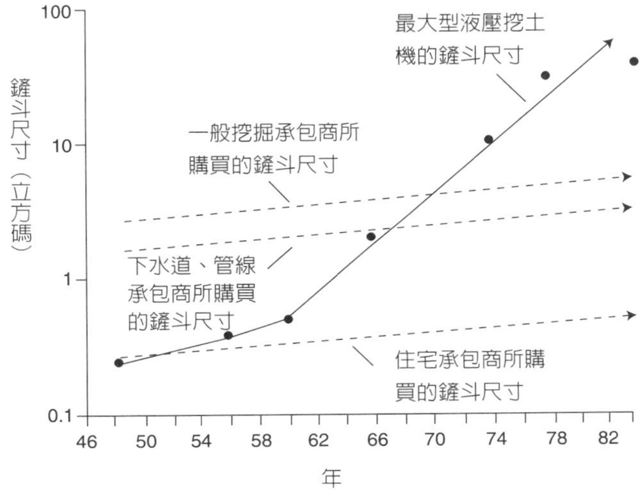

資料來源：Data are from the Historical Construction Equipment Association.

程不值得花費大筆金錢和時間購買與搬運大型而精準度低的挖土機，因此過去都是採用人工挖掘。液壓反鏟挖土機固定在機動性高的曳引機上，在建造家居房屋時可以省下不少時間。這些早期生產的反鏟挖土機都是透過曳引機或器具經銷商銷售，因爲這些經銷商熟知小型客戶的需求。

早期使用液壓挖土機的客戶與購買電纜挖土機的客戶截然不同，無論是在規模、需求以及通路方面都有極大的差異。液壓挖土機製造商爲機械挖土機建構了新的價值網絡。有趣的是，小體積硬碟的性能優點（重量、耐震性、電力耗損）不同於大型硬碟的性能優點（容量與速度）；同樣地，第一代的反鏟挖土機的性能優點亦不同於電纜挖土機。依據早期的文件資

圖3.4　Sherman Products所生產的液壓反鏟挖土機

資料來源：Brochure from Sherman Products, Inc., Royal Oak, Michigan, early 1950s.

料，液壓反鏟挖土機最重要的優點就是鏟斗的寬度（承包商需要挖掘窄而淺的溝壕）以及曳引機的速度和機動性。圖3．4是早期由Sherman Products所生產的液壓反鏟挖土機的宣傳海報，他們將產品取名爲Bobcat。他們暱稱此產品爲「挖掘客」（digger），在各大雜誌刊登廣告，宣稱它可以在草坪上行走而不會造成任何的傷害。Bobcat裝置在福特所生產的曳引機上（福特之後購併了Sherma Products的Bobcat生產線）。但是這項產品所訴求的特色就與大型挖掘計畫的承包商沒有任何的關聯。性能屬性的差異界定了價值網絡的範圍。

圖3．3中的實線部分，代表了

在新的架構之下，液壓工程師所能提供的鏟斗尺寸成長率。一九五五年，最大的鏟斗尺寸可達八分之三立方碼，一九六○增爲二分之一立方碼，到了一九六五年則爲二立方碼。一九七四年，最大的液壓挖土機則有十立方碼的承載量。這樣的成長速度比起挖土機市場需求的成長速度要快了許多，液壓技術也開始入侵主流挖土機市場。液壓技術在一般市場的運用於一九五四年達到高峰，就在此時，另一家來自德國的新進企業Demag推出了另一款履帶支架式（track-mounted）產品，可以做三百六十度的旋轉。

既有企業對液壓技術的回應

正如希捷是首先開發三．五吋硬碟原型的廠商之一，Bucyrus Erie曾是電纜挖土機市場的領導企業，但是他們意識到液壓挖掘技術的潛力。在一九五○年（第一台反鏟挖土機問世後的兩年），Bucyrus購併一家生產液壓反鏟挖土機的公司——Milwaukee Hydraulics Corporation。但是Bucyrus在銷售新產品時，也遭遇到同樣的問題：原有的主流客戶絲毫不感興趣。

Bucyrus Erie的回應方式就是在一九五一年推出新的產品，命名爲Hydrohoe。原有挖土機必須使用三個汽缸，但是Hydrohoe只需要兩個，一個是用來讓鏟斗彎起而後推入土中，另一個則是將鏟斗拉回駕駛座；它是使用電纜機制舉起鏟斗。因此Hydrohoe其實是結合了

圖3.5　Bucyrus Erie所生產的Hydrohoe

資料來源：Brochure from Bucyrus Erir Company, South Milwaukee, Wisconsin, 1951.

兩種科技，讓人想起早期的遠洋汽船上都配備有船帆。[11]然而，沒有證據顯示，Hydrohoe的混合設計是因爲Bucyrus的工程師受限於電纜工程模式，其眞正的原因是，在液壓技術的基礎之下，電纜舉起機制能夠讓Hydrohoe的鏟斗承載量與延伸距離符合行銷人員認爲既有客戶的需求。

圖3．5中所看到的就是當年這款產品的宣傳海報。它的行銷方式與Sherman不同的是，Bucyrus將Hydronoe定位爲一台「牽引挖土機」，Bucyrus宣稱它「每次都可挖掘大量的土石」，這是爲了吸引一般的挖掘承包商。

Bucyrus並沒有在液壓技術價值網絡中銷售產品，他們希望運用在原有的價值網絡中。但是Hydrohoe的承載量與延伸距離仍有限，並不符合原有客戶的需求。Bucyrus努力了十年，不斷地提升性能希望吸引客戶的興趣，但是這項產品在商業上從未獲得成功。最後，公司仍退回到客戶所需求的電纜挖土機市場。

在一九四八到一九六一年間，Bucyrus Erie是電纜挖土機製造商中唯一推出液壓挖土機的廠商。其他的廠商仍繼續服務既有的客戶，成績也相當地不錯。[12] Bucyrus Erie和Northwest Engineering是兩家最大的電纜挖土機製造商，直到一九六六年之前的獲利情形都不錯，然而也就是在同一年，突破性液壓科技與下水道和埋設管線承包商的需求有了交集。這是遭遇突破性科技的典型過程：在突破性科技侵入其主流市場之前，既有產業的領導企業的獲利情形都非常不錯。

在一九四七年到一九六六年間，共有二十三家運用液壓技術的廠商進入機械挖掘市場。圖3．6顯示了提供液壓技術的積極新進企業與既有企業的數目（不包括已退出市場的企業），我們可以看出幾乎是新進企業的天下。

到了一九六〇年，部分體質健全的電纜挖土機製造商開始推出液壓挖土機。而所有的款式都是混合了新舊兩項科技，運用液壓汽缸轉動鏟斗、利用電纜延伸鏟斗並舉起吊臂。在一九六〇年代，液壓技術對於既有製造商的產品產生了延續性影響，提升了其產品在主流價值

圖3.6　液壓挖土機廠商（一九四八～一九六五）

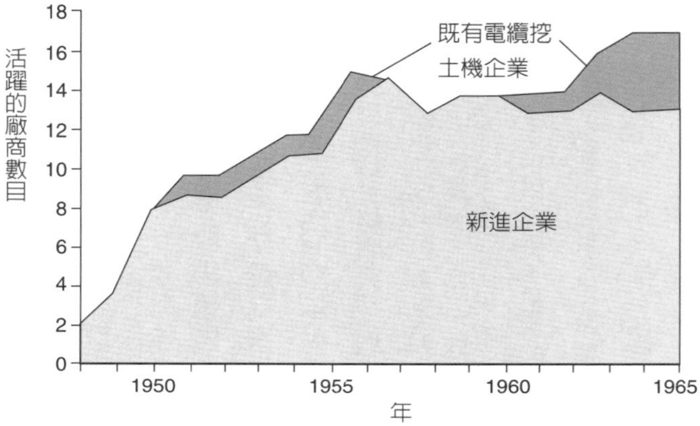

資料來源：Data are from the Historical Construction Asociation.

網絡的性能。工程師在電纜挖土機上運用液壓技術的構想非常聰明。但是這些創新的努力都是爲了符合既有客戶的需求。

這期間挖土機製造商所採取的策略，反映了企業遭遇突破性科技變革時所做出的選擇。一般而言，在一九四〇到一九五〇年間，新進企業找到新的應用市場。但是既有企業卻有不同的看法，他們將市場視爲既定的，因此他們必須尋找可以符合既有客戶需求的新科技，這屬於延續性科技。既有企業的創新投資焦點在於客戶，下一章我會說明這樣的策略選擇普遍發生於所有的突破性創新。總而言之，既有企業努力將新技術引進既有市場，而成功的新進企業則是選擇另外尋找可接納新科技的新市場。

液壓技術的進步，使其與主流挖掘承包商的需求開始有了交集。但是這項成就是由新進企業所達成，他們首先發現適合這項科技的新市場；在設計與製造方面累積了豐富的經驗，然後利用商業平台侵入位於其上的價值網絡。既有企業最後輸了這場戰爭，只有四家挖土機製造商——Insley、Koehring、Giant、Link Belt——成功地推出液壓挖土機產品線，保衛自己的市場，但也經歷了轉型的陣痛期。⑬

除了上述的四家之外，其他大型電纜機器市場的製造商並沒有成功地推出液壓挖土機。雖然有些廠商利用液壓技術作爲鏟斗彎曲機制，但是他們缺乏設計經驗，產品數量不足以降低成本結構，因此無法與新進企業競爭。在一九七〇年代初期，所有這些廠商相繼被新進企業逐出下水道、埋設管線、一般挖掘市場，這些新進企業不斷地在原先的小型承包商市場中提升自己的科技能力。⑭

新進企業與既有企業在面對突破性科技時，所採取的不同策略，同樣可見於其他產業，如硬碟、鋼鐵業、電腦業和電動車產業。

電纜與液壓之間的抉擇

在圖3．3中，當液壓技術符合下水道與埋設管線承包商對鏟斗尺寸的需求時（與延伸距離的成長軌道相似），產業的競爭動態便開始有了變化，主流挖掘承包商的購買條件也開始跟著轉變。即使到了今日，電纜引動架構的延伸距離仍較遠、承載量也較液壓挖土機大，不過兩者的科技成長軌道是平行的。然而一旦電纜與液壓系統同時滿足主流客戶的需求，承包商在購買設備時，就不會考慮延伸距離或鏟斗承載量的高低問題。若兩者性能都不錯，電纜挖土機優於液壓挖土機的事實就不存在了。

再者，承包商發現液壓系統的機具故障率較低。因爲電纜在舉起沉重的鏟斗時可能會突然斷裂，對承包商來說是一個可怕的夢魘，因此他們傾向較可靠的液壓技術。換句話說，當兩項科技在基本性能需求不相上下時，選購產品的標準便會轉移至可靠度上。下水道與埋設管線承包商在一九六〇年代初期即開始運用液壓技術，一般挖掘工程承包商則在往後的十年間陸續採用液壓技術。

液壓科技的結果與意義

電纜挖土機製造商到底出了什麼問題？依後見之明，他們應該投資液壓技術，並成立獨立的組織，在符合的價值網絡中負責製造液壓產品。在這場突破性科技熱戰中，眞正的兩難情況在於這些企業內部其實沒有任何問題。眞正的問題在於液壓技術並不是他們客戶需要的。至少有二十家的電纜挖土機製造商，每一家都在想盡辦法搶奪其他廠商的客戶。如果既有企業忽略既有客戶的新需求，會承受極大的風險。此外，開發更大型、性能更好、更快速的電纜挖土機以搶奪既有競爭者的客戶，獲利成長的機會也較大；相較之下，投資市場規模極小（就一九五〇年代而言）的液壓反鏟挖土機市場，就沒有什麼明顯的獲利前景。因此，他們的失敗不是因爲無法取得相關科技，也不是缺乏關於液壓技術的知識或不知如何運用；事實上，許多頂尖的廠商只要發現對客戶有益，就會立即運用液壓技術。他們的失敗是因爲液壓技術對他們來說不具任何意義，當他們發現時已經太遲了。

企業在遭遇延續性與突破性科技時所表現的成功與失敗模式，是良好管理決策的自然或系統化的結果。事實上，這也是爲何突破性科技帶給創新者兩難的原因。努力工作、培養智慧、積極投資、傾聽客戶，這些都是解決延續性科技的最佳方式；但是在面對突破性科技時，這些經營原則就毫無效用，甚至會造成反效果。

註釋：

①請參考：Richard Rosenbloom and Clayton M. Christensen, "Technological Discontinuities, Organizational Capabilities, and Strategic Commitments," Industrial and Corporate Change (3), 1994, 655-686。

②本段落所運用的資料與數據是由建築機具歷史協會（Historical Construction Equipment Association）的兩位會長迪米齊·托斯（Dimitrie Toth）以及凱斯·海達克（Keith Haddock）所提供，該協會收藏了極豐富的挖土機具製造史資料，托斯及海達克非常熱心地與我分享他們的知識及資料，兩位還幫助我完成本章前半段的草稿。其它的參考資料有：Peter Grimshaw, Excavators (Poole, England: Blandford Press, 1985): The Olyslager Organization, Inc., Earthmoving Vehicles (London: Frederick Warne & Co., Ltd., 1972): Harold F. Williamson and

Kenneth H. Myers, Designed for digging: The First 75 Years of Bucyrus Erie Company (Evanston. IL: Northwestern University Press, 1955): J. L. Allhands, Tools of the Earthmover (Huntsville, TX: Sam Houston College Press, 1951)。

③有趣的是，高成功率只發生在產業的前二十三大企業，七家最小的企業只有一家成功地由蒸汽挖土機製造商轉型爲內燃汽油挖土機。關於這些企業的資料並不多，大多都是產品的宣傳海報。不過我推論，大型和中型企業能度過這次的科技移轉，而小型企業卻就此退出市場，其中資源占了很重要的原因，這個結論呼應了第二章的觀點。某些延續性科技的研發費用極高，熟悉的專家人數也極爲稀少，因此對於小型企業來說相當困難。再一次感謝羅森保教授分享這方面的專門知識。

④其中的一個實例就是第一台拉鏟挖土機（dragline）的推出，這是由一家位於芝加哥的Page承包商所開發而成。Page負責芝加哥的運河系統工程，並在一九○三年發明了拉鏟挖土機，使得工程進行得更有效率。Page所設計的拉鏟挖土機後來在巴拿馬運河工程時大出風頭，當時還有Bucyrus Erie和Marion製造的蒸汽挖土機。客戶是延續性創新的重要來源的理論，與Eric von Hippel的研究結果不謀而合，請參考：The Sources of Innovation (New York: Oxford University Press, 1988)。

⑤在液壓技術變革中生存的企業，在高階市場找到了避風港。例如，Bucyrus Erie和Marion是大型露天採礦挖土機的領導廠商。Marion的6360型挖土機是最大型的前伸勺斗挖土機，其載量可達一八○立方碼（它的廣告是Paul Bunyan站在一台36360挖土機的旁邊，這是我印象最深刻的廣告之一）。Harnischfeger是全球最大的電動採礦挖土機製造商，Unit則是專門製造運用於海外鑽油井的基座起重機（pedestal cranes）。Northwest則轉而製造清理海洋航道污泥的挖泥機。P&H和Lorain則專心生產大型起重機與挖泥機（都是電纜引動）。

⑥當液壓挖土機技術成熟之後，這些公司都先後獲得不同程度的成功。在一九九六年，全球最大的挖土機製造商Demag和O&K都是德國公司。

⑦就技術面而言，前伸挖土機屬於動力挖土機（power shovel）。這是一八三七年至一九九〇年代的主流設計，也是十九世紀的重要市場。將土石拉回駕駛座的挖土機屬於反鏟挖土機（backhoe）。至一九七〇年代液壓挖土機成爲主流設計，所以以上二種機械都稱爲挖土機（excavator）。後來的液壓引動挖土機是將吊架或吊臂固定在機具上，如此一來就能在機具上固定不同的吊臂，可作爲單斗挖土機、反鏟挖土機或起重機之用。

⑧衡量挖掘機性能的標準是每一分鐘可挖起的立方碼數量。這要看操作員的技巧與被挖掘的土石類型而定，因此承包商後來即以鏟斗尺寸做爲衡量標準，比較客觀而精準。

⑨繼英國以及美國的開路先鋒之後，又有許多歐洲製造商跟進，這些企業也都是挖掘機產業的新進企業，如法國的Poclain和義大利的Bruneri Brothers。

⑩將鏟斗用力鏟入土中的能力是液壓技術最大的優勢。電纜引動的挖掘機將土石拉回操作員的方式，是利用地心引力將沉重的鏟斗齒鋒推入土中。

⑪早期的混合式海洋運輸工具，是指利用蒸汽做爲動力，但是仍會安裝船帆的遠洋汽船。Bucyrus Erie所設計的產品也是相同的原理：因爲蒸汽動力不符合遠洋市場的需求，必須配合運用傳統科技。蒸汽動力船代替風動力船，就是一個典型的突破性科技。當Robert Fulton於一八一九年第一次利用汽船在修斯河（Hudson River）航行時，它在各方面的性能都不如遠洋帆船：每英哩航行的花費較高、速度較慢、故障率偏高，因此無法運用在遠洋價值網絡中。然而在河流中或湖中，船隻是否能逆風而行或是在無風狀態下航行，是船長最關心的問題，因此汽船較帆船爲佳。請參考：Richard J. Foster, Innovation: The Attacker's Advantage (New York: Summit

Books, 1986)。有些學者對於帆船製造商的短視近利感到難以理解，他們死守著過時的技術，完全忽略蒸汽動力的興起，直到一九〇〇年代終於被市場無情地淘汰。在產業轉向蒸汽動力之後，沒有一家帆船製造業者存活下來。然而價值網絡提供了學者所忽略的解釋觀點，問題不在於企業不知道蒸汽動力或是無法取得蒸汽技術。眞正的關鍵是帆船製造商的客戶，他們都是遠洋帆船使用者，不需要使用蒸汽動力。如果要開發汽船，帆船製造商必須重新針對島嶼航運制定不同的策略，因爲這是自一八〇〇年代以來唯一重視大型汽船的價值網絡。因此原因在於企業不願或是無能轉變策略，而非無能改變科技，這也是他們在面對蒸汽技術時失敗的原因。

⑫唯一的例外是由Koehring在一九五七年推出的一款非常成功的商品稱爲Skooper，它是結合液壓與電纜兩項技術，主要的功能是清除面壁的土石，而非挖掘地面土石。

⑬Bucyrus Erie在兩個市場都適應不良，它在一九五〇年代推出了大型液壓挖土機，但是隨後又退出市場。一九六〇年它購併了Hy-Dunamic Corporation之下液壓塡土反鏟挖土機（loader backhoes）的Dynahoe產品線，並將其銷售給一般挖掘工程承包商，但最後仍是遭到失敗。

⑭Caterpillar是在後期才進入液壓挖掘設備產業，它在一九七二年時推出了第一款液壓產品。挖掘機產品是延伸自推土機、刮土機和平路機的生產線。在電纜引動仍是主流設計的時期，Caterpillar從未進入挖掘設備市場。

第四章

向下移轉的麻木

為何領導企業可以迅速朝高階市場發展，卻很難進入低階市場？很少有理性的經理人可以提出讓人信服的理由，解釋何以進入規模小、獲利低的未知低階市場是可行的。

由硬碟與挖土機產業的發展中，我們可以明顯看出價值網絡的界限並不會限制企業的發展，並同時存在向上進入高階市場的力量及抑制向下轉往低階市場的力量。但是突破性科技卻會促使企業向下進入新的低階市場。本章我們將探討一個問題：爲何領導企業可以迅速朝高階市場發展，卻很難進入低階市場？很少有理性的經理人可以提出讓人信服的理由，解釋何以進入規模小、獲利低的未知低階市場是可行的。事實上，高階價值網絡的成長前景與獲利潛力，比起待在現在價值網絡更具吸引力；我們常見到績效優良的企業不斷地尋求高階市場的客戶，也因此逐漸遠離了既有的客戶（或是在既有市場中的競爭力逐漸下降）。這些績優企業集中所有的資源與能量，希望搶占高獲利的高階產品市場。

的確，進入高階價值網絡的財務表現潛力如此強大，讓所有人感受到硬碟產業與挖土機

圖4.1　希捷產轉往高階市場發展圖

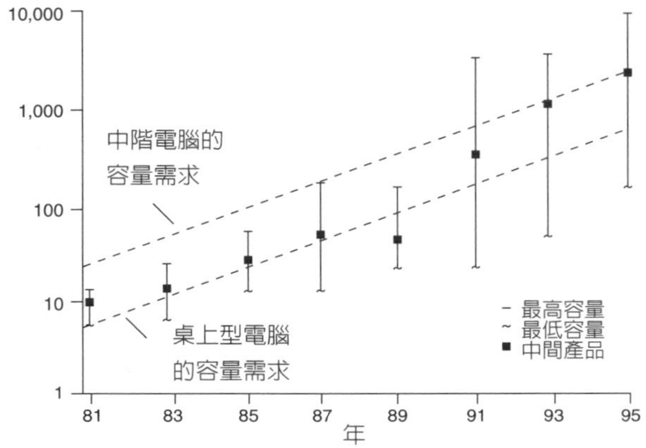

資料來源：Data are from various issues of *Disk/Trend Report*.

產業成長軌道圖的東北角有一股強大的磁力。本章將利用硬碟產業的發展狀況，分析這種「東北拉力」（northeastern pull）的力量，然後再藉由迷你鋼鐵廠（minimill）與整合鋼鐵廠（integrated steel makers）之間的競爭檢視這個架構。

東北角大遷移

圖4．1顯示了希捷科技向高階市場發展的詳盡狀況，他們所採取的策略是大部分硬碟製造商普遍運用的策略。希捷開發了桌上型電腦的市場，而後成為此產業的領導企業。其產品定位相對於容量的需求以垂直線表示，垂直線的兩端分別代表產品線中最高容量與最低容量的硬碟類型，以年為單位。垂直線上的黑色方塊代表每年希捷所推出的所有硬碟的平均容量。在一九八三到一九八五年之間，希捷的產品線主要是銷售給

桌上型電腦客戶。一九八七到一九八九年間，三．五吋硬碟的突破性科技侵入桌上型電腦市場。希捷的回應方式是不採取正面抵抗，並轉戰高階市場。它仍持續提供桌上型個人電腦市場所需的硬碟款式，但是到了一九九三年，希捷的主力已轉移至中階電腦，如檔案伺服器與工作站。

的確，突破性科技確實具有極大的破壞力量，因爲首先將新一代的突破性科技商業化的企業，都選擇脫離其原有的價值網絡，盡可能地轉移至對產品容量有需求的更高階市場。就是這股向上的轉移力量使得突破性科技對既有企業造成威脅，卻又對新進企業有如此強大的吸引力。

價值網絡與成本結構

是何種力量造成這種不對稱的轉移？如前所述，原因在於企業的資源分配流程（resources allocation process），使得資源集中在可以創造高獲利與大規模市場的產品研發計畫。成長軌道的東北部優於西南部（如圖1．7和3．3）。所有的硬碟製造商都會往產品市場圖的東北方移動，因爲他們的資源分配流程促使他們產生這樣的行爲。

第二章談過，構成每一價值網絡的特色之一是成本結構；位於其中的企業如果要優先提供客戶所需的產品與服務，就必須建立符合此一價值網絡的成本結構。因此，當硬碟製造商在其原有價值網絡中愈來愈成功時，就代表他們已經發展出一種獨特的經濟特性：研究、開發、銷售、行銷與行政的努力和支出，都必須運用在滿足客戶的需求與應付來自競爭者的挑戰。每一個價值網絡的毛利成長，都促使較優秀的硬碟製造商在既有的成本結構下創造利潤。

因此，這些企業會採取持定模式以提高獲利；企業欲維持自身在主流市場的領先地位、以削減成本來提高獲利的模式，根本不可行。企業所投注的研究、開發、行銷與行政成本，是保有主流市場競爭力的關鍵。因此轉向高獲利的高性能市場，是提升獲利最直接的方式，這是轉向低階市場無法達到的。

圖4．2顯示的是獲利提升途徑。最左邊的三個柱狀圖分別是一九八一年桌上型電腦、迷你電腦與大型主機電腦價值網絡的規模，以及在此價值網絡中，每一類型硬碟製造商的獲利情形。我們可以看出，高階市場的毛利明顯較高。

由於市場規模與成本結構的不同，使得企業之間的競爭產生了嚴重的不平等現象。以迷你電腦市場市場的八吋硬碟爲例，其毛利率大約爲四○％。

若要轉進低階市場，企業必須與那些成本結構符合二五％毛利率的廠商競爭。另一方面，轉向高階市場卻可使企業以低價的成本結構，經營預估毛利率高達六○％的市場。以上何者較有利？同樣的情況也發生在一九八六年的五．二五吋硬碟產業，當時的企業也在考慮

圖4.2　既有硬碟廠商在高階市場與低階市場的規模

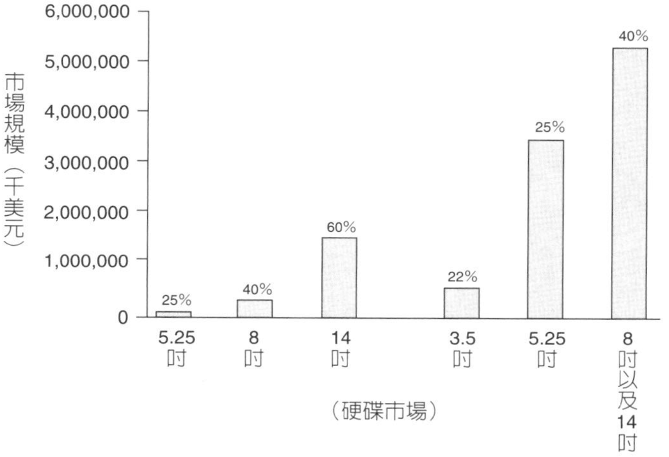

一九八一年時8吋硬碟廠商的市場規模，當時桌上型電腦使用的5.25吋硬碟價值網絡正在成型。

一九八六年時5.25吋硬碟廠商的市場規模，當時手提電腦使用的3.5吋硬碟價值網絡正在成型。

資料來源：Data are from various issues of Disk/Trend Report, corporate annual reports, and data provided in personal interviews.

注意：圖表中的百分比代表每一價值網絡的毛利率。

是否要轉移至在手提電腦市場中興起的三．五吋硬碟，或是轉攻迷你電腦與大型主機市場。

將研發資源集中在可創造高獲利的高性能產品，不但可提升盈收，也不會爲企業帶來痛苦。當經理人在決定要通過何項新產品研發企畫時，通常是那些以大型高獲利市場爲目標的高性能產品研發計畫爲優先考量。換句話說，理性的資源分配流程是硬碟製造商轉向高階市場而非低階市場的主因。

依據第二章所討論的「快樂回歸分析」，高階市場能爲硬碟容量的提升帶來較高的獲利。如果企業可以銷售容量更高的硬碟，何必要銷售容量較小的硬碟？硬碟製造商往東北方移動的決策是相當合理的。

另有些學者在其他的產業也觀察到相同的現象，當企業離開原有的突破性科技市場，轉向更高階市場以尋求更大的利潤時，他們會逐步修正自己的成本結構以符合高階市場的需求，①這更增加了他們跨足低階市場的難度。

資源分配與向上轉移

這種不平衡的價值網絡轉移其背後的另一個原因，來自於不同模式的資源分配流程。一種模式是將資源分配視爲理性、由上而下的決策過程，資深經理必須衡量是否投資創新科技計畫，還是要將金錢投資於符合公司策略、可帶來最大報酬率的計畫。

第二種模式是由約塞夫．包爾②（Joseph Bower）教授首先提出的，與第一種模式有極大的差異。包爾教授指出，創新提案通常來自於組織下層而非高層。這些構想由下層員工提出，而組織的中階經理人在審核這些構想時，扮演了關鍵而隱形的角色，他們不可以濫用權力、隨意決定通過哪一種構想；他們必須思考在企業現有的財務、競爭與策略結構之下，哪一種構想最有可能成功、最有可能被接受。

在大部分的組織中，當一位經理人在一項成功的企畫案中扮演了關鍵性的推手角色，他的職業生涯必定會就此飛黃騰達。如果他們不幸判斷錯誤，支持了一項失敗的計畫，他的職業生涯可能就此告終。某些計畫因爲技術無法突破而宣告中止，通常這類計畫的中止不會被認爲失敗，因爲企業可以因此學習到許多寶貴的經驗，此外科技的開發本身就是不可測的，這是或然率的問題。但是如果因爲市場不存在而造成計畫失敗，就有可能對經理人的職業生涯造成嚴重的打擊。這些失敗使得企業遭受極大的損失，也破壞了企業的公共形象。企業已投入所有的資源在產品的設計、生產、工程、行銷與通路上。因此，中階經理人——同時爲了自己與企業的利益著想——傾向於支持市場需求較爲明確的計畫。他們會努力包裝自己所選擇的計畫，以贏得資深管理階層的認可。當資深經理人以爲是他們做出資源分配的決策時，其實早在資深經理人介入之前，許多的資源分配計畫就已經被決定了：中階經理人已經選擇了他們支持的計畫，然後再提交給資深管理階層。

在以下虛構的案例中，不妨思考一下，成功的企業脫離原有價值網絡、向上或向下移動的意義何在？在同一星期之內，有兩位極受尊敬的員工——一位來自行銷部門，一位來自工程部門，分別提出了新產品企畫案，他們同時向高他們兩級的某位經理人報告，行銷部門的員工先報告了他所提出的高性能、高速產品構想。這位經理人開始審核：

「誰會買這項產品？」

「主要是工作站廠商，他們每年的硬碟採購量都超過六億美元，這是我們過去不曾接觸過的市場，因爲我們的產品容量不足。我認爲我所提出的產品可以讓我們成功打入這個市場。」

「你有向潛在客戶談到你的構想嗎？」

「有，上星期我去了趟加州。他們都說希望能盡快拿到產品原型。我們有九個月的緩衝期。他們與現有的供應商（X競爭者）合作，共同研發一項新產品。但是我們一位來自X競爭者的新進員工說，他們的問題很多。我想我們可以辦得到。」

「工程部門也這麼認爲嗎？」

「他們說我太異想天開了。不過你也知道，他們每一次都是這樣。」

「新市場的毛利率有多少？」

「這正是我覺得很高興的原因。如果我們利用現有的工廠、以X競爭者的成本價格生產，毛利率約在三五％左右。」

再比較這位經理人與第二位員工之間的互動情形，他所提出的是一種更爲便宜、體積更小、速度較慢的低性能硬碟產品企畫案。

「誰會買這項產品？」

「我還不確定，但是將來一定會有人用到。大家總是希望找到體積更小、價格更便宜的產品，也許可以使用在傳眞機或印表機上也說不定。」

「你有向潛在客戶談到你的構想嗎？」

「有，上次的商展會場上，我向一位現有客戶提到我的想法。他說他很有興趣，但是不確定是不是眞的會用到。現在的人都需要二七〇MB的硬碟才能執行所有的事情，但是我的新產品並沒有如此高的容量——至少目前是這樣。他的回答並不讓人意外，眞的。」

「傳眞機廠商怎麼說？」

「他們說不知道。這個想法雖然不錯，但是他們已經擬定好產品開發計畫，沒有任何一項產品會用到硬碟。」

「你認爲這個計畫可以賺錢嗎？」

「我覺得可以。不過這要看我們的價格是多少。」

上述經理人會支持哪一項計畫？在資源分配的爭奪戰中，以現有客戶明確需求爲目標或是競爭對手仍無法滿足的需求爲目標的計畫，一定能擊敗那些爲不存在的市場開發新產品的計畫。最佳的資源分配系統，其設計的原意就是要排除市場規模小、獲利率低的計畫，任何一家無法系統化將研發資源鎖定在客戶需求的企業，必定會失敗。③

這個吊詭的難處，在於達到成長與利潤目標的最簡單策略路徑，是轉往高階市場發展；但是最致命的攻擊卻來自於低階市場。最讓人惱怒的是，優秀的管理團隊——努力工作、非常聰明、具有願景——並無法解決問題。資源分配流程牽涉到由上百人所做出的上千個決策，有些未知、有些則非常明確，他們必須決定要如何分配自己的時間與企業資金。即使資深經理人支持一項突破性計畫，組織中的其他人卻可能不願意配合或勉強執行，因爲他們不認爲這有助於組織或個人的成功。管理優秀的企業，很少有唯諾是從的員工或是盲目執行管理階層的指示與命令。相反地，他們的員工都是經過訓練，能夠理解什麼樣的計畫對公司有利，以及要如何在企業內建立成功的事業生涯。頂尖企業的員工會主動服務客戶，達成預定的銷售與獲利。經理人很難要求能力強的部屬，精力充沛而持續地執行他們認爲沒有意義的計畫。硬碟產業的發展史可以證明員工行爲所造成的影響。

一・八吋硬碟的實例

許多硬碟製造商的經理人非常熱心地幫助我進行本書相關研究，至一九九二年時我也開始有了一些成果，本書的出版是希望將自己所學與大家分享。我希望了解圖1・7的架構是否會影響他們對於一・八吋硬碟的決策，當時一・八吋硬碟是產業最新的突破性科技。對於產業外部的人來說，結論很明顯：「這些人到底要到什麼時候才會學乖。他們一定要記取教訓。」事實上，這些人確實也得到了教訓。一九九三年末，每一家硬碟領導企業都已開發出一・八吋硬碟產品原型，等待市場成熟後就會正式量產。

一九九四年八月，我訪問了一位大型硬碟廠商的執行長，請教他公司對於一・八吋硬碟的態度如何？這觸及了問題的核心：他指向公司櫥櫃所展示的一．八吋硬碟原型，然後說道，「看到沒？這是我們研發的第四代一．八吋硬碟——每一代的容量都有所提升，但是至今仍未進行銷售，我們希望等到市場成熟後再說，目前時機未到。」

後來我向他提起Disk/Trend Report的報告，報告指出一九九三的市場銷售額爲四千萬美元，預估一九九四年可達八千萬美元，一九九五年則高達一億四千萬美元。

「我知道他們是怎麼想的，」執行長回答說，「但是他們錯了，市場根本就不存在。十八個月以前，我們就把新產品放進目錄中。所有人都知道我們有這項產品，但是沒有人要買。根本就沒有市場，我們現在是走在市場的前面。」當時我無法提出更有效的反駁，他是我見過最機靈的執行長，我們的對話又轉移到其他的問題。

大約一個月之後，我在哈佛商學院所開的科技與作業管理課堂上，針對本田（Honda）所開發的新引擎進行課堂討論。其中一位學生先前在本田的研發部門工作過，所以我請他花幾分鐘的時間，向大家說明實際的情況；他負責儀表板繪製與導航系統，在報告進行的當中，我忍不住打斷他，「你們如何儲存所有的資料？」

那位學生回答說：「我們安裝了一台一．八吋硬碟。它非常的精巧——幾乎是一種固態裝置，移動元件很少，所以非常耐震。」

「你們是向誰買的？」我接著問道。

「這就非常有意思了，」他回答道，「大型知名硬碟廠商都買不到。最後我們在科羅拉多找到一家剛創業不久的小型製造商——我甚至記不起它的名字。」

我開始思考，為何先前那家企業的執行長固執地以為沒有一．八吋硬碟的市場，但事實上市場是存在的；我也在想，為什麼我的學生說大型硬碟廠商沒有銷售這些產品，然而事實上他們的確有在進行研發。關鍵就在於東北／西南的問題，以及上百位訓練有素的決策者所扮演的角色，他們決定將公司的資源與能量集中在可以創造最高成長與獲利的計畫上。這位執行長已經決定公司必須及早趕上新一代的科技潮流，也帶領團隊成功地開發出產品。但是就員工而言，只有八千萬美元規模的低階市場對於營業額高達數十億美元的公司來說，不論就企業成長與獲利率而言，根本不具任何意義，尤其競爭者正積極搶奪他們原有的客戶。另一方面，他們從未想過汽車業需要一．八吋硬碟，公司內的行銷人員所接觸與熟知的都是電腦業的從業人員。

對於一個組織來說，要執行一項複雜的工作，如推出新產品，就必須整合相關的後勤作業、能量與刺激並全力推動。因此，不僅是既有企業的客戶固守在企業自身的需求，也固守在原有價值網絡中的財務結構與組織文化，使他們無法及時投資新一波的突破性科技。

價值網絡與市場能見度

當企業客戶也轉移至高階市場時，驅使企業向上轉移的刺激會更爲強烈。在這種狀況下，中階元件的供應商——如硬碟——比較不會感受到自己正朝東北方移動，因爲他們內嵌於同樣經歷類似轉移的客戶與競爭者當中。

基於此種原因，八吋硬碟的領導廠商——Priam、昆騰與Shugart——很容易就錯失了五．二五吋硬碟的開發機會。例如，沒有一家客戶——迪吉多、Prime、Data General、王安與Nixdorf——成功地推出桌上型電腦。每一家客戶都轉移至更高階市場，試圖爭取長久以來使用大型主機的客戶。同樣地，十四吋硬碟的客戶——大型主機製造商，如Univac、Burroughs、NCR、ICL、西門子（Siemens）與Amdahl——都不曾向下轉移至迷你電腦市場。

有三個因素——高階市場的獲利保證、客戶轉向高階市場、削減成本以轉移至低階市場的困難——都是造成向下移動的障礙。因此，在內部討論資源的分配時，突破性科技的計畫就會輸給轉往高階市場的計畫。事實上，有系統地排除低獲利的新產品開發計畫，是許多管理優良企業的重要成就之一。

這種向上移轉模式的策略性意義在於，使得低階價值網絡產生眞空，讓具備適合的科技能力與成本結構的新進企業有發展的空間。鋼鐵業就有低階市場發生眞空狀態的情形，新進企業利用突破性的迷你煉鋼流程進入低階市場，最後毫不留情地攻擊高階市場。

向東北方前進的整合型鋼鐵廠

迷你鋼鐵廠在一九六〇年代中期開始商業化。迷你鋼鐵廠所使用的設備以及技術都是現有的，它是利用電弧熔爐融化廢鐵而後製作成鋼條（billets），並將這些短鋼條軋製成鋼棒（bar）、鋼樑（beam）與鋼板（sheet）等成品。整合型鋼鐵廠則是利用鼓風爐與吹氧熔爐將生鐵製成鑄鐵成品（molten steet）。之所以被稱爲迷你鋼鐵廠，是因爲其生產規模不到整合型鋼鐵廠的十分之一（整合型鍊鋼廠的名稱源於自轉化鐵礦、煤與石灰石爲最後鋼鐵成品的整合流程）。就鑄造與滾軋作業而言，整合型鋼鐵廠與迷你鋼鐵廠的差異不大，規模是唯一的差異：爲了使鼓風爐的產出效能提升到最高，就需要整合型鋼鐵廠的鑄造與滾軋運轉規模。

北美的迷你鋼鐵廠是全球效率最高、成本最低的鋼鐵廠。一九九五年，最有效率的迷你鋼鐵廠每噸鋼成品需要〇．六個工時；最有效率的整合型鋼鐵廠則需要二．三個工時。就他們所生產的相同產品來看，迷你鋼鐵廠製作品質相同、價格相同的產品所花費的成本，比整合型鋼鐵廠要低一五％。在一九九五年，建造一座具成本優勢的迷你鋼鐵廠大約花費四億美元[4]；整合型鋼鐵廠約六十億美元。[5]因此，迷你鋼鐵廠在北美市場的占有率從一九六五年的零到一九七五年的一九％，一九八五年爲三二％，到了一九九五年則高達四〇％。專家預測，在本世紀末將會達到五〇%。⑥迷你鋼鐵廠目前幾乎壟斷了北美地區的鋼棒、鋼筋及結構鋼樑市場。

但是至今仍未有一家整合型鋼鐵公司建造迷你鋼鐵廠。爲什麼沒有廠商願意採取這項有意義的行動。媒體——尤其是美國——最常提出的解釋，是整合型鋼鐵廠的經理人過於保守、個性畏縮、害怕風險、能力不足。請看以下的評論：

> 去年，美國鋼鐵公司（U.S. Steel Crop.）關閉了十五個廠房，宣稱是因為這幾間工廠變得「毫無競爭力」。三年前貝斯拉罕鋼鐵公司（Bethlehem Steel Crop.）關閉了如紐約等地的幾個主要廠房……這些陸續關閉大廠的行動是經理人最後一次的讓步，管理團隊根本未盡到應盡的責任。過去幾十年的豐厚獲利已成過眼雲煙。⑦
>
> 如果美國鋼鐵公司每工時的鋼鐵產量如同其經理人面對問題時的花言巧語般多產，這個企業的產能會是全球第一。⑧

當然這種嚴厲指控有一定的可信度，但是管理無能並非北美整合型鋼鐵廠遭受迷你鋼鐵廠擊敗的眞正原因。當時被專家視爲管理優良、最爲成功的鋼鐵廠——日本的Nippon、川崎、NKK，英國鋼鐵廠與歐洲的Hoogovens，韓國的Pohang Steel——沒有一家投資迷你煉鋼技術，雖然它已被證明是全球成本最低的煉鋼技術。

同時，最近十年以來，整合型鋼鐵廠的管理階層積極地提升鋼鐵廠效率。例如，USX

的鋼鐵製造效率從一九八〇年的每公噸九個工時，提升爲一九九一年的三個工時。爲了達成目標，它大幅度的縮減員工人數，從一九八〇年的九萬三千人減少到一九九一年的二萬三千人，此外還投資二十億元更新廠房與設備。然而這一切只是爲了提升傳統煉鋼的效率。

迷你鋼鐵製造則是一種突破性科技。它於一九六〇年興起，因爲它是利用廢鋼鐵爲原料，因此品質上差強人意。它的產品性能因爲冶鐵成分與純度不同而有所差異。因此迷你鋼鐵廠的市場主要是強化鋼鐵棒（steel reinforcing bars, rebar）——若依據品質、成本與利潤而言，屬於市場的底層。這是既有鋼鐵廠最不願接觸的市場，不僅利潤低，客戶忠誠度也低：客戶會隨意更換供應商，只重視價格，誰的價格最低就跟誰購買，既有鋼鐵廠都會盡量避開這個價格競爭激烈的市場。

然而，迷你鋼鐵廠則有不同的看法。他們的成本結構與整合型鋼鐵廠不同：折舊率低、沒有研發費用、銷售成本低（大部分是電話訂單）、幾乎沒有什麼管理間接成本。他們可以靠電話做生意，而且利潤也挺可觀的。

一旦他們在強化鋼鐵棒的市場中占有一席之地後，最積極的迷你鋼鐵廠，如Nucor和Chaparral，就會對整體鋼鐵市場產生不同於整合型鋼鐵廠的觀點。他們所重視的低階強化鋼鐵棒市場對整合型鋼鐵廠來說毫無吸引力，但是迷你鋼鐵廠卻認爲他們可以往高階市場發展，以提升利潤與擴大銷售。有了這項誘因，他們努力改善冶鐵品質與產品的一致性，並積

圖4.3　突破性迷你煉鋼技術的發展

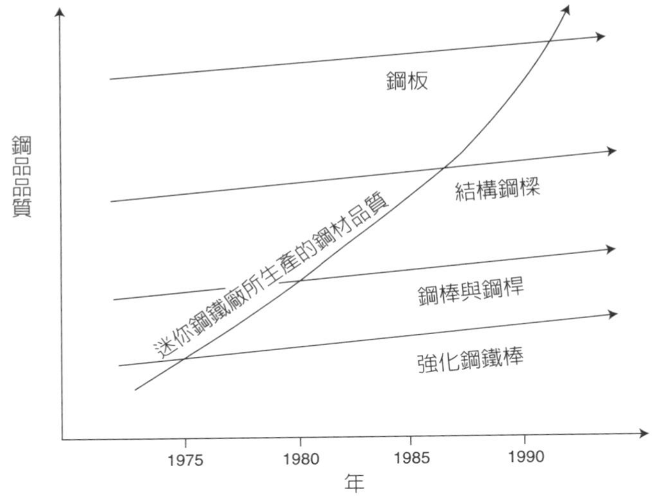

極更新設備以製造更大規模的鋼成品。

如同圖4．3中所顯示的，迷你鋼鐵廠開始轉往位於其上的鋼棒、鋼桿（rod）與角鋼（angle irons）市場發展。一九八○年時，他們占有九○%的強化鋼鐵棒市場，在鋼棒、鋼桿與角鋼部分則有三○%的市場占有率。當迷你鋼棒廠進入鋼棒、鋼桿與角鋼的市場時，整合型鋼鐵廠都鬆了一口氣，因爲這些市場的利潤在他們的產品線中是最低的。到了一九八○年代，這個市場已經完全是迷你鋼鐵廠的天下。

當迷你鋼鐵廠在鋼棒、鋼桿與角鋼的市場地位穩固之後，他們持續往高階市場前進，這次是朝向結構鋼樑。Nucor就在阿肯色州建立了一家迷你鋼鐵廠，Chaparral則在德州建造一座迷你鋼鐵廠。同樣地，整合型鋼鐵廠再次被逐出市場。一九九二年，USX關閉其位於南芝加哥的結構鋼樑廠，Bethlehem則於一九九五年關閉了最大的結構鋼樑廠，市場拱手讓給迷你鋼鐵廠。

一九八〇年代，整合型鋼鐵廠將鋼棒與鋼樑的市場全部讓給迷你鋼鐵廠，他們本身的獲利因此有了極大幅度的提升。他們捨棄低利潤的低階市場，持續開發高品質的滾軋鋼板（rolled sheet steel），這項產品的客戶都是對品質要求嚴格的罐頭、汽車和家電用品等製造商，他們願意支付較高的價格以取得品質固定、無瑕疵的產品。一九八〇年代整合型鋼鐵廠不斷提升他們的能力，以滿足以上要求高品質的客戶的需求，而且獲利也相當可觀。鋼板市場對整合型鋼鐵廠來說非常有吸引力，因為沒有來自迷你鋼鐵廠的競爭。建造一座現代化、成本具競爭力的鋼板鋼鐵廠大約需要二十億美元，對於規模最大的迷你鋼鐵廠來說，仍然負擔不起。

整合型鋼鐵廠的做法讓其投資人雀躍不已；例如貝斯拉罕的市值從一九八六年的一億七千五百萬美元，躍升為一九八九年的二十四億美元，而該公司在此期間投資於研發與設備的金額為十三億美元，可見其獲利之高。新聞界都非常肯定這些鋼鐵廠的投資計畫：

華特．威廉斯（Walter Williams，當時貝斯拉罕執行長）是奇蹟的創造者，在過去的三年之中，他改善了貝斯拉罕鋼鐵廠的品質與生產力。Bethlehem的轉型甚至超越了美國的主要競爭對手——美國鋼鐵廠的製造成本已低於日本廠，而且品質不輸給日本廠。客戶已經注意到其中的變化。「奇蹟永遠不會缺席。」一位在康寶濃湯（Campbell Soup）任職的高級採購員說道。⑨

另一位分析師也觀察到同樣的現象：

就在大家不注意的時候，奇蹟就發生了：大型鋼鐵廠又再度恢復過往的榮景。美國鋼鐵廠又開始獲利了……每年以三百萬噸的速度生產鑄鐵——這已經創下北美鋼鐵廠的記錄。工會與管理階層共同組成的問題解決小組到處都有。他們將力量全部放在高品質的滾軋鋼板上。⑩

我們都同意，這些成績都是良好管理的結果。但是這些優秀的管理團隊會將這些企業帶往何處？

薄板鑄造技術

正當大型鋼鐵廠忙著恢復元氣之際，更大片的突破性科技烏雲正從地平線升起。一九八七年，一家名為Schloemann-Siemag AG的德國鋼鐵設備製造商，宣布他們已經發展出所謂的「連續薄板鑄造技術」（continuous thin-slab casting technology）——將廢鋼鐵鑄造成連續長形薄板，這樣就不需冷卻，即可直接運送到滾軋鋼鐵廠。這種方式是利用白熱的薄鋼板滾軋成鋼板捲（coiled steel sheet）最後所需的厚度；傳統的方式則是利用厚鑄鐵塊或厚鋼板進行加熱，滾軋成最後的鋼板成品，但是成本要高出許多。最重要的是，建造一座連續薄板鑄造與滾軋鋼鐵廠的成本只需要二億五千萬美元，是傳統鋼板鋼鐵廠的十分之一，而且對迷你鋼鐵廠來說也是可負擔的投資。在此規模下，電弧熔爐即可供應熔鐵所需的數量。此外，薄板鑄造在生產鋼板的成本上可節省近二〇%的費用。

因爲薄板鑄造技術具有以上優點，許多重要的鋼鐵廠開始仔細評估可能性。某些整合型鋼鐵廠，如USX，就很積極地引進薄板技術。[11]但是到最後，卻是迷你鋼鐵廠——Nucor Steel——而非整合型鋼鐵廠成功地轉進薄板鑄造技術。爲什麼？

薄板鑄造技術無法提供整合型鋼鐵廠客戶（罐頭、汽車與電器製造商）所需的平滑而無瑕疵的精軋表面，所以其主要市場是下水道、地下管線以及組合式住宅（Quonset huts）所需的鋪板與波狀鋼板。此外，大型的整合型鋼鐵廠正忙著彼此相互爭奪罐頭製造業、汽車業與家電業的市場。他們沒有必要投資薄板鑄造技術，因爲利潤最低、價格最低。經過一九八七年與一九八八年的審慎評估後，Bethlehem和USX決定放棄一億五千萬美元的薄板鑄造技術，他們仍決定投資二億五千萬美元在傳統的厚板鑄造技術，以保衛與增加主流客戶的獲利率。

但毫不意外的，Nucor有不同的想法。在不影響鋼板市場的客戶原有的獲利以及符合產業底層的成本結構下，他們於一九八九年在印第安那州建造全球第一座連續薄板鑄造工廠，並於一九九二年在阿肯色州建造第二座。在一九九五年，兩座工廠的產能都提高了八〇%。分析家預測，一九九六年時Nucor已經占有七%的北美市場——還不足以威脅整合型鋼鐵廠，因爲Nucor的成功限於商品化、獲利率低的產品線。當然，爲了提高產品品質以獲得更高毛利，Nucor不斷改善鋼板的品質。

整合型鋼鐵廠努力朝向獲利率高的東北角移動的企圖心，是一則結合積極投資、理性決策、貼近客戶需求與創造高獲利的故事。但是他們也同樣面臨了創新的兩難：管理階層的周延決策正是造成他們失敗的根源。

註釋：

①針對轉向高階市場、並增加成本以支持此層級營運的流程，哈佛企管學院教授麥克奈爾（Malcom P. McNair）有發人省思的描述。麥克奈爾在描述零售業的發展史中，就分析了零售業者如何利用突破性科技創造成功：「時代的巨輪不停的轉動，有時候慢而有時候快，但從未停止。每一個循環的開始都是源自於大膽而創新的概念。某一個人有了全新的想法：華納梅克（John Wanamaker）、哈特佛（George Hartford: A&P）、伍爾沃斯（Frank Woolworth）、葛蘭特（W. T. Grant）、伍爾（General Wool: Sears）、庫倫（Michael Cullen：超級市場）。這些創新者構想出一種突破性的企業形式。起初，這些人遭受抨擊、譏笑，甚至有人侮辱他們是「私生子」。銀行家與投資者都對他們敬而遠之。但是因爲營運成本低因此具有價格競爭力，也能夠吸引大眾的注意。他們不斷地提升商品的品質、外貌與評價，獲得愈來愈多的尊敬。

就在企業成長的過程中，他們不斷地收到來自客戶與投資者的尊敬，但同時他們的資本投資也不斷地增加，營運成本隨之提高。於是這些企業進入成熟期……之後就是資本過剩，最後就是脆弱期。他們在面對其他擁有創新想法、營運成本低、在舊有企業保護傘下悄悄侵入的創新者之時，變得如此不堪一擊。」

請參考：Malcom P. McNair, "Significant Trends and Developments in the Post-War Period," in Albert B. Smith, ed., Competitive Distribution in a Free: High-Level Economy and Its Implications for the University (Pittsburgh: University of Pittsburgh Press, 1958), 17-18。換句話說，適合高階市場的成本結構阻礙了企業向下移轉的能力，也強化了企業向上移轉的誘因。

②請參考：Joseph Bower, Managing the Resource Allocation Process (Homewood, IL: Richard D. Irwin, 1970)。

③這裡所提到的「系統化」（systematic）非常重要，因爲大部分的資源分配系統都必須系統化地運作——不論此系統是正式的或非正式的。本書稍後會探討，成功面對突破性科技的一項關鍵管理能力是，他們可以個人的身分堅持介入或做出資源分配的決定，而資源分配系統的設計是爲了排除突破性科技計畫。請參考：Roger Martin, "Changing the Mind of the Corporation," Harvard Business Review, November-December 1993, 81-94。

④由於全球大部分鋼鐵市場的需求成長速度趨緩，到了一九九○年代建造整合型鋼鐵廠的數目愈來愈少。這段期間所建造的整合型鋼鐵廠都是位在高成長、高速發展的國家，如韓國、墨西哥與巴西。

⑤這些預算數字是由麻省理工學院的材料科學教授湯馬士．海格爾（Thomas Eagar）所提出。

⑥"The U.S. Industry: An Historical Overview," Goldman Sachs U.S. Research Report, 1995.

⑦"What Caused the Decline," Business Week, June 30, 1980, 74.

⑧Donald B. Thompson, "Are Steel's Woes Just Short-term," Industry Week, February 22, 1982, 31.

⑨ Gregory L. Miles, "Forging the New Bethlehem," Business Week, June 5, 1989, 108-110.

⑩ Seth Lubove and James R. Norman, "New Lease on Life," Forbes, May 9, 1994, 87.

⑪ 關於美國鋼鐵公司的案例，請參考哈佛商學院的教案研究："Continuous Casting Investments at USX Corporation," No. 697-020。

第二部

管理突破性科技

Managing Disruptive Technological Change

第五章

成立專責的組織

當企業面對突破性科技，尤其是客戶不需要的科技時，經理人應該如何因應？其中一種方式是說服企業內部的人，另一種做法是，成立一個獨立的組織，並以需要這項科技的客戶為目標。

大多數的主管都相信他們負責整體組織的營運，就必須做出重大決策；當他們決定某件事後，所有人就必須徹底執行。本章將繼續延伸之前所論述的主題：實際上，是企業的客戶控制企業做與不做的事項。就如同我們對硬碟產業的觀察，當客戶對產品表達明確的需求時，企業願意投注大量的心力在具有風險的科技計畫上。但是如果具有獲利貢獻的既有客戶不需要，即使突破性科技計畫難度不高，企業也不願意採取任何的行動。

以上的現象支持了長久以來備受爭議的「資源依賴理論」，這是由少數管理學者所提出的；①他們認爲企業的行動自由受限於企業之外的實體需求（客戶和投資者）。資源依賴理論吸收了許多生物演化的觀念；此項理論的重點在於，只有在組織的人員與系統提供客戶和投資者所需的產品、服務與利潤以滿足他們的需求之時，組織才得以生存與繁榮。組織如果不這麼做，就會因缺乏生存所需的盈收而招致倒閉的命運。②因此，透過適者生存的機制運作，那些得以在產業占有一席之地的企業，其人員與流程必定會傾向於滿足客戶的需求。但是這項理論的支持者認爲，經理人沒有權力讓公司的營運違反客戶的需求，這時爭議就出現了。即使經理人擁有偉大的願景，希望將公司帶往不同的方向，但是一家生存在競爭激烈環境中的客戶導向企業，其人員與作業流程會有強大的力量阻撓經理人改變營運方向，因爲客戶提供企業所依賴的資源，所以是客戶而非經理人眞正決定了企業的行動。是來自於組織外部的力量而非內部的經理人，決定企業的營運。資源依賴理論認爲：在一家人員與系統適應良好的企業中，經理人的角色只是一個象徵。

對於曾經有管理公司的經驗、曾經輔導過管理階層或將是未來經理人的我們而言，這種想法令人極度不安。我們的功能就是要管理、創造差異、建立與執行策略、加速成長與提升利潤。資源依賴理論否定了我們存在的理由。本書所提出的研究報告同樣支持這項理論，尤其在決定投資方向時，成功企業所建立的客戶導向資源分配與決策流程，比起主管的決定更具有影響力。

顯然地，客戶在決定企業投資方向時具有強大的影響力。但是當企業面對突破性科技，尤其是客戶不需要的科技時，經理人應該如何因應？其中一種方式就是說服企業內部的人，這項科技長期而言具有策略上的重要性，儘管客戶不贊同而且獲利低於高階市場。另一種做法是，成立一個獨立的組織，並以潛在客戶爲目標。哪一種做法最適當？

選擇第一種做法的經理人就必須對抗組織本性的強力趨勢——是客戶而非經理人控制企業的投資模式。相反地，選擇第二種做法的經理人是順應這項趨勢，而非採取抵抗的態勢。本章所討論的案例即證明了第二種做法的成功機率遠高於第一種做法。

創新與資源分配

客戶是經由資源分配流程控制企業的投資，所謂的資源分配即是決定何項計畫可以獲得所需的人力與金錢。資源分配與創新是一體兩面：只有可以獲得足夠資金、人員與管理階層注意的新產品開發計畫，才有可能成功；缺乏資源的計畫則會失敗。因此，企業的創新模式反映了資源分配的模式。

良好的資源分配流程必須能夠有效排除客戶不需要的提案。如果這些決策流程運作良好，客戶不需要的產品計畫就不會得到資金；如果客戶需要，就可獲得研發資金。這是大型企業的運作方式。他們必定要投資在客戶有需求的事物上——他們愈擅於此項流程，就愈能成功。

就如同我們在第四章討論的，資源分配不只是由上而下的決策制定與執行。資深經理人必須決定是否要提供資金支持某項計畫，而通常在更早之前，組織內較低階層的人員已經決定他們要支持的計畫，並加以包裝後再呈給資深經理人請求核准，資深經理人看到的只是經過篩選後的創新構想。③

即使資深經理人核准了某項計畫，事情仍未結束。在計畫獲得批准後——常是在產品推出後——許多重要的資源分配決定還必須經過層層核准，他們必須針對爭取同樣人力、設備與賣方的多項計畫設定優先順序。如同管理學者貝納德（Chester Barnard）說的：

> 如果我們以特定決策的相對重要性而言，執行主管的決定通常會優先得到注意。但是就整體重要性而言，通常是組織中的非執行參與者而非執行主管的決定，會引起高度的興趣。④

因此，非執行參與人如何做出資源分配的決定？他們會先行了解什麼類型的客戶與產品可以爲公司帶來最大的利潤，再決定要呈報哪些計畫給資深經理人，並決定其優先順序。此外他們還必須考量提案對他們在企業內的職業生涯會有什麼影響，當然這項決定也是源自於他們了解到何種類型的客戶與產品可以爲企業帶來更高的利潤。如果他們支持的創新計畫能創造高額的利潤，個人的職業生涯當然也會有所進展。也就是透過這種尋求企業利潤與個人成功的機制，客戶得以對資源分配的流程以及創新模式造成決定性影響。

突破性硬碟科技的成功

但是，企業仍然可以突破這層客戶控制系統。硬碟產業發生的三項案例即證明了經理人如何在突破性科技中建立穩固的市場地位。其中有兩項案例是經理人利用資源依賴的力量：他們另行成立獨立的子公司負責突破性科技的商業化。第三個案例是經理人選擇抵抗這些力量，最後終於筋疲力竭地取得成功。

昆騰

在一九八〇年代初期，昆騰是八吋硬碟的領導廠商，主要市場爲迷你電腦，但是他們卻完全忽略了五．二五吋硬碟的興起，他們在四年後才正式推出產品。當五．二五吋硬碟入侵迷你電腦市場時，昆騰的銷售開始下滑。

一九八四年，昆騰的員工察覺出三．五吋硬碟的市場潛力，它可以插入IBM的XT與AT型桌上型電腦的擴充槽內，因此可以將此款硬碟銷售給個人電腦使用者而非迷你電腦的代工廠商，後者正是昆騰的主要收益來源。於是他們決定離開昆騰，重新創辦一家公司實現自己的想法。

不過，爲了使他們的創業計畫順利進行，昆騰的主管給予融資，並取得八〇%的股份。

他們將這家公司命名爲Plus Development Corporation，昆騰也協助他們建構許多基礎設備。這是一個完全自給自足的組織，擁有自己的主管人員以及獨立公司所需的職能。Plus非常成功，他們自行設計與行銷硬碟，但是製造部分則委託日本的松下電器。

當昆騰的八吋硬碟產品在一九八〇年的銷售開始下滑時，必須由Plus的硬碟卡產品盈收彌補。一九八七年時，昆騰停止銷售八吋與五．二五吋的硬碟。之後昆騰購入Plus另外二〇%的股份，結束舊有的組織，並請Plus的主管擔任昆騰的資深主管。接著他們重新改良Plus的三．五吋硬碟以吸引桌上型電腦代工廠，此時三．五吋硬碟開始進入桌上型電腦市場，如圖1．7所示。昆騰轉型爲三．五吋硬碟製造商後，積極地運用延續性元件科技創新，轉往工作站等高階市場，同時成功地完成了二．五吋硬碟的延續性架構創新。至一九九四年，新的昆騰已成爲全球硬碟單位產量最大的製造商。⑤

Control Data

Control Data Corporation也同樣地進行了一次自我改造。一九六五到一九八二年間，Control Data是十四吋硬碟的主要製造商，主要銷售給代工市場；其市占率約在五五%到六二%之間。當一九七〇年代末，八吋硬碟架構興起時，Control Data卻錯失了良機——長達三年之久。該企業從未在八吋硬碟市場取得重要的地位，它所銷售的八吋硬碟主要是爲了保衛既有的大型主機製造商客戶。原因即在於資源分配與管理。位在明尼亞波利斯（Minneqpolis）工廠的工程師與行銷人員成功地爭取到八吋硬碟的研發計畫，以解決爲大型主機研發新一代十四吋硬碟的問題。

希捷於一九八〇年首先推出五．二五吋硬碟，兩年後，Control Data第一次推出他們的五．二五硬碟。然而，這次他們轉往奧克拉荷馬市發展。據一位經理人說道：「這不是爲了逃避Control Data位在明尼亞波利斯的主流工程文化，而是要將五．二五吋硬碟小組獨立於主流客戶之外。」雖然時機已晚，而且永遠無法恢復昔日的領導地位，但是Control Data的五．二五吋硬碟仍有獲利，並贏回二〇%的市占率。

Micropolis

Micropolis Cororation於一九七八年成立，早期曾是八吋硬碟的領導廠商，它也成功地轉型至另一個創新平台。它並非採取昆騰與Control Data的分離策略，而是選擇在主流企業內部進行變革。即使具備這項例外，仍無法改變既定的規則：客戶仍有極大的影響力，決定企業的投資。

Micropolis在一九八二年開始轉變，當時的創辦人與執行長史都華．馬邦（Stuart Mabon）直覺地認知到圖1．7所示的市場需求與科技開發軌道，因此決定公司必須轉型爲

圖5.1　Micropolis Corporation的技術轉移與市場定位

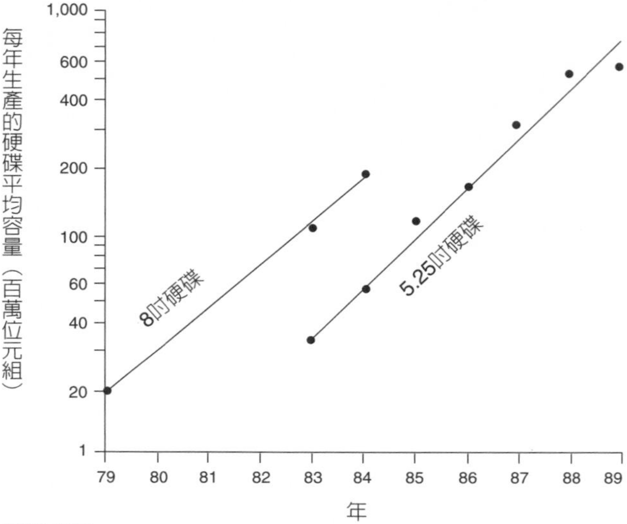

資料來源：Data are from various issues of *Disk/Trend Report*.

五．二五吋硬碟的製造商。他仍將資源合理集中於開發新一代的八吋硬碟以同時兼顧兩個市場，[6]但是指派一位首席工程師負責五．二五吋硬碟的開發計畫。馬邦事後回憶道，「我花費了十八個月的時間，投注百分之百的時間與精力，才讓五．二五吋硬碟計畫得到應有的資源」，因爲組織的自有機制將資源分配給八吋硬碟——這才是公司的主流客戶。

一九八四年，Micropolis的硬碟無法趕上迷你電腦市場的競爭速度，於是終止八吋硬碟開發計畫。另一方面，在赫克連恩的努力下，五．二五吋硬碟確實成功了。圖5．1顯示其中的掙扎過程：爲了轉型，Micropolis必須建立不同的科技提升軌道。它必須遠離所有的重要客戶，並藉由銷售新產品給桌上型電腦廠商以代替原有的盈收。馬邦永遠記得那是他一生中最疲累的一次經驗。

Micropolis最後於一九九三年推出了三．五吋硬碟。也就是在此時，三．五吋硬碟的容量提升至一兆位元組，如此一來，Micropolis可以將其三．五吋硬碟銷售給既有的客戶。

突破性科技與資源依賴理論

先前我們提到希捷成功地銷售三．五吋硬碟，而Bucyrus Erie的Hydrohoe產品卻無法成功地銷售給主流客戶，以上的兩則案例都證明了資源依賴理論適用於突破性科技。希捷與Bucyrus是產業中最早開發突破性產品的企業。儘管資深經理人決定要推出突破性產品，但是他無法取得推出產品、進入合適價值網絡所需的刺激與組織能量——除非客戶有需求。

我們是否應該接受資源依賴理論的推論，認爲經理人是無實權的個人？這也未必，在前言中，我提到了人們如何學習飛翔，我說過所有的努力如果是要抵抗自然的基本定律，就一定會導致失敗。但是如果是地心引力、白努利定理，以及浮力、牽引力和阻力的觀念都已爲人所理解，飛行器的設計也能順應或利用這些定律，人們就能成功地飛行。昆騰與Control Data的成功就是遵循此一模式。他們將一獲利組織內嵌於一個完全不同的價值網絡中，尋找不同的客戶組合以求生存，這些經理人就是利用了資源依賴的力量。Micropolis的執行長卻選擇對抗，他也非常意外地獲得勝利，卻同時付出了極大的代價。

突破性科技對許多產業都造成了致命的影響，不僅僅是硬碟、機械挖土機和鋼鐵業。⑦以下內容即要探討突破性科技對電腦業、零售業與印表機業所產生的影響，分析少數在業界占有一席之地的企業在面對突破性科技時，如何利用資源依賴力量獲得成功。

迪吉多、IBM與個人電腦

電腦業與硬碟產業有平行的發展史，因爲後者的價值網絡是內嵌於前者的價值網絡中。事實上，如果圖1．7針對硬碟產業所標示的軸線與交叉成長軌跡更換爲電腦產業，同樣可以解釋領導企業的失敗原因。IBM是電腦產業的龍頭老大，其所生產的大型主機主要是銷售給大型組織的中央會計與數據處理部門。迷你電腦的興起對於IBM與其競爭對手來說屬於突破性科技，他們的客戶不會使用，而且獲利低、市場規模又小。因此多年以來，大型主機製造商對迷你電腦市場根本就不放在眼裡，任由其他的新進企業——迪吉多、Data General、Prime、王安和Nixdorf創造並主導市場。IBM最後仍推出自有的迷你電腦，但這只是一種防衛策略，因爲迷你電腦的性能已經提升到可以滿足其部分的客戶需求。

同樣地，沒有一家迷你電腦製造商在桌上型個人電腦市場上占有一定的份量，因爲對他們來說，桌上型電腦是一種突破性科技。個人電腦市場是由另一群新進企業所開發，包括蘋果電腦、Commodore、Tandy和ＩＢＭ。迷你電腦廠商的業績相當突出，被投資者、新聞媒體與學生視爲績優管理的典範——直到一九八〇年代末，桌上型個人電腦的科技提升軌道與迷你電腦使用者的性能需求開始產生交集。桌上型個人電腦由下而上的攻擊，嚴重地打擊迷你電腦製造商，許多廠商就此倒閉，沒有一家迷你電腦的廠商在個人電腦價值網絡中占有重要地位。

手提電腦也有類似的情形，此一市場也是由一群企業新進者，如東芝、夏普與Zenith所開發與主導。個人電腦的領導企業，如ＩＢＭ與蘋果電腦推出手提電腦，直到手提電腦的性能軌道與其客戶需求產生交集。

這其中也許沒有一家廠商像迪吉多一樣傷痕累累。迪吉多在短短數年間從雲端跌落至谷底，因爲獨立工作站與桌上型電腦在一夜之間搶奪了迷你電腦的客戶。

迪吉多並非沒有努力嘗試。在一九八三年到一九九五年間，它四次推出個人電腦產品，其所應用的科技比起原先的迷你電腦要簡單得多。但是每次它都無法成功地在公司認爲有利可圖的價值網絡中建立穩固的營運，四度退出個人電腦市場。爲什麼？因爲迪吉多四次都是由原有組織發動攻擊。⑧但是即使主管階層支持轉移至個人電腦的計畫，但是就如同我一再強調的，那些負責日常資源分配決策的經理人，不認爲有必要將金錢、時間與精力投資在客戶不需要、獲利率低的計畫。唯有可創造高獲利的高性能產品研發計畫，如迪吉多的Alpha

微處理器或是大型主機電腦市場，才可以取得所需的資源。

爲了以主流組織的力量進入桌上型個人電腦，迪吉多必須採行兩種成本結構，以符合不同的價值網絡。但是它無法有效地去除間接成本，使其在低階個人電腦市場中沒有任何的競爭力，因爲它必須保留這些成本以維持其在高階產品市場的競爭力。

然而ＩＢＭ在個人電腦市場最初五年的成功，與另一家大型主機與迷你電腦領導廠商在掌握突破性科技潮流的失敗，形成了強烈的對比。ＩＢＭ是如何辦到的？它在遠離紐約總部的佛羅里達州成立一個自主的組織，這個組織可以從任何來源取得必要的元件，透過自有的通路銷售，並建立符合個人電腦市場科技與競爭力需求的成本結構。這個組織可以自由選擇與個人電腦相關的成功模式。事實上，有人認爲ＩＢＭ後來決定將個人電腦部門與母公司緊密結合的做法，是造成ＩＢＭ無法維持個人電腦市場獲利率與占有率的最主要原因。因爲在單一的企業內同時存在兩種成本結構與兩種營運模式，是不可能的事。

單一企業很難在維持主流市場競爭力的前提下，同時追求突破性科技，而這樣的結論困擾了某些極有自信的經理人——事實上，多數的經理人正嘗試學習Micropolis和迪吉多的做法：在維持主流市場競爭力的同時，試圖追求突破性科技。很明顯地，這樣的做法不太可能成功；除非成立一個獨立組織，內嵌於適合的價值網絡中並訴諸於不同的客戶，否則必定會犧牲其中一個市場。

Kresge、Woolworth和折扣零售店

很少有產業像零售業一樣，在面對突破性科技時遭受如此巨大的衝擊。折扣零售對於傳統的營運而言是一種突破性科技，因爲折扣店所提供的服務品質與選擇性嚴重地摧毀既有的品質零售方式。此外，折扣零售的成本結構也不同於百貨公司的價值網絡。

第一家折扣店爲Korvette's，它於一九五〇年代中期在紐約開設了數家分店。Korvette's和其他跟進者主要銷售低階的零售產品，這些都是全國知名品牌的消費品，其價格比百貨公司低約二〇%到四〇%。他們的產品都可以「自行銷售」，因爲客戶已經知道如何使用。這些折扣店依賴全國品牌的形象建立產品的價值與品質，因此不需要知識廣博的銷售服務人員；他們針對的是一群最不吸引主流零售店的客戶：「育有小孩的藍領階級年輕太太。」⑨這些族群不同於傳統百貨公司所訴諸的高水準客戶。

折扣店的利潤並不低於傳統的零售業者；他們只是透過不同的銷售模式賺取利潤。就最簡單的層面而言，零售商是透過毛利或是加成（markup）——在商品成本上再加上一定金額——回收成本。傳統的百貨公司都會在商品成本上加價四〇%，存貨一年週轉四次——所以總投資報酬率爲一六〇%。雜貨店的銷售模式也與百貨公司類似，只是報酬率較低。折扣零售商也採用相同的模式，不同的是低毛利、高週轉率。請參考表5．1。

表5.1　增加利潤的不同途徑

零售商類型	企業	標準毛利率	標準存貨週轉率	存貨投資報酬率*
百貨公司	R. H. Macy	40%	4x	160%
雜貨店	F. W. Woolworth	36%	4x	144%
折扣零售商	Kmart	20%	8x	160%

*計算方式爲毛利率乘上週轉率，所得數字即爲每年透過連續週轉率所獲得的總利潤。

資料來源：Annual corporate reports of many companies in each category for various years.

折扣零售商的發展史不禁讓人想起鋼鐵廠的發展史。與迷你鋼鐵廠相同的是，折扣零售商利用其成本結構優勢，轉往高階市場，以驚人的速度襲捲傳統零售市場：剛開始專注於低階市場，如硬體、小型電器和行李，而後轉向東北角，如家具和服裝。圖5．2顯示了折扣零售商的入侵過程：在其所銷售的產品類別中，其盈收占整體的比例從一九六〇年的一〇%，短短六年之間即竄升爲四〇%。

就如同硬碟與挖土機產業，只有少數的傳統零售商——S. S. Kresge、F. W. Woolworth和Dayton Hudson——觀察到突破性科技的到來並及早投資。至於其他的零售連鎖業者，如Sears、Montgomery Ward、J. C. Penney、R. H. Macy，都未曾想過進入折扣零售市場。只有Kresge（創辦凱瑪Kmar百貨連鎖店）和Dayton Hudson（創辦目標百貨連鎖店）成功。[10]他們均是另行成立折扣零售組織，獨立於傳統企業之外。他們能夠認清並利用資源依賴的力量。相反地，Woolworth的投資卻失利（創辦Woolco），他們嘗試在F. W.

圖 5.2　折扣零售市場的獲利（一九六〇～一九六九年）

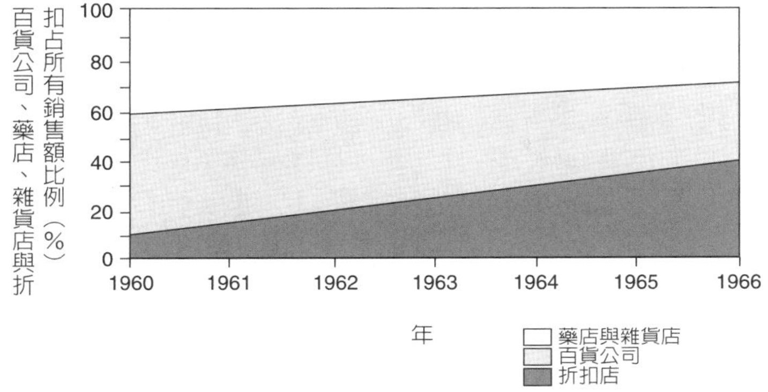

資料來源：Data are from various of Discount Merchandiser.

Woolworth企業內部設立負責折扣零售的部門。只要詳細比較Kresge與Woolworth的應對方式，即可清楚了解成立獨立組織是追求突破性科技的唯一成功方法。

S. S. Kresge是全球第二大雜貨連鎖店，它於一九六一年即開始研究折扣零售的可能性，當時折扣零售仍屬搖籃期。一九六一年，Kresge與Woolworth（全球第一大雜貨連鎖店）同時宣布進軍折扣零售業。他們都在一九六二年開設第一家折扣零售店，其間只相隔了三個月。但是兩者的命運卻有天壤之別：十年之後，Kmart的銷售額高達三十五億美元，Woolco的銷售額則只有九億美元，還不夠回收成本。⑪

爲了全心經營折扣零售業，Kresge決定退出雜貨連鎖業：一九五九年，他們任用了一位新執行長，康寧漢（Harry Cuningham），他的唯一使命就是帶領Kresge轉型成爲折扣零售業的第一把交椅。康寧漢帶進了一批全新的管理團隊，因此在一九六一年，「所有的營運副總裁、地區經理、地區協理或地區商品經理都是新聘僱的。」[12]一九六一年開始，康寧漢停止開設新的雜貨連鎖店，每年並關閉一〇%的既有連鎖店，這代表了Kresge全力轉往折扣零售業發展的決心。

另一方面，Woolworth則希望繼續改善其雜貨連鎖事業的技術、競爭能力與設備，並同時嘗試突破性科技的創新。負責改善雜貨連鎖店績效的經理人，同時負責建立「全美最大的折扣連鎖店」的執行長科特伍德（Robert Kirkwood）宣稱，「Woolco不會與既有雜貨連鎖店的成長與擴張計畫相衝突。」他並指出，既有的雜貨連鎖店不會轉型爲折扣零售店。[13]確實，當折扣零售店於一九六〇年達到擴張的高峰時，Woolworth即以一九五〇年所訂的速度繼續開設新的雜貨連鎖店。

不幸的是，Woolworth無法在單一組織中維持兩種不同的文化和營運模式。到了一九六七年，它把Woolco廣告上的「折扣」字眼全部抽掉，改以「促銷百貨公司」（promotional department store）替代。雖然一開始Woolworth即爲了Woolco部門特別設立了獨立的行政單位，但是到了一九七一年，另一種更合理、更具成本意識的做法出現了：

> 為了增加Woolco與Woolworth每平方英呎的銷售額，兩個事業單位決定以地區為單位，建立營運聯盟。公司主管認為聯盟——包括地區層級的採購部門、物流設備與人事管理

圖 5.3 Woolco 整合後的影響以及其獲利模式與 F. W. Woolworth 的相似處

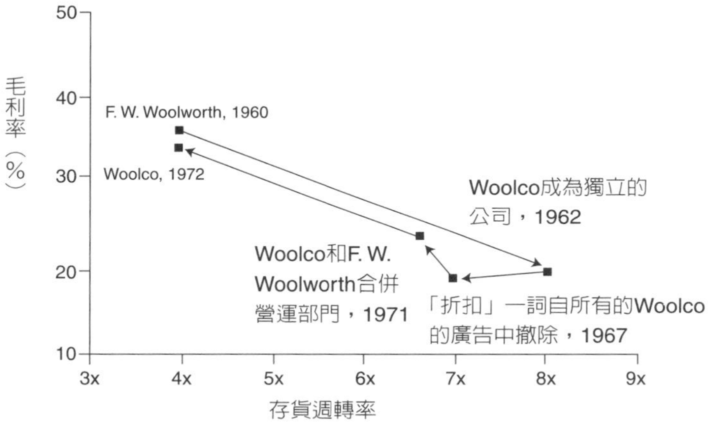

資料來源：Data are from various annual reports of F. W. Woolworth Company and from various issues of Discount Merchandiser.

——可以協助雙方開發更好的商品並提升店面的效用。Woolco可以利用Woolworth在採購資源、物流設備與發展專業百貨的經驗，Woolworth則可以學習Woolco在找尋地點、設計、促銷與管理大型店面（超過一百萬平方英呎）的訣竅。[14]

這種節省成本的聯盟方式會帶來什麼影響？這更加證明了兩種不同的營運模式不可能和平地共存於單一組織。就在聯盟後一年內，Woolco提高其加價比例，使其毛利成了折扣產業的最高紀錄——約三三%。在此期間，其存貨週轉率從原有的七倍降至四倍。過去長久以來維持F. W. Woolworth的獲利模式（毛利約三五%、四倍週轉率，總投資報酬率爲一四○%），最終也成了Woolco的營運模式。Woolco不論就名稱或實質上，已不再是一家折扣零售店。毫無意外地，Woolworth的折扣零售業投資是徹底地失敗了，於一九八二年關閉最後一家Woolco店面。

自殺以求生存

惠普在個人電腦印表機的經驗，證明了企業轉投資獨立的組織以追求突破性科技時，有可能會扼殺另一事業單位。

一想到氣泡式噴墨印表機與噴墨印表機技術時，大家都會對惠普在個人電腦印表機的成就欽佩不已。自一九八〇年代中期開始，惠普開始全力發展雷射印表機技術。相對於點矩陣式技術而言，雷射是一種不連續進步，前者是早期個人電腦印表機的主流技術，當時的惠普也是重要的領導廠商。

當另一種將數位符號轉化為紙上影像的技術出現時（噴墨技術），對於雷射或是噴墨何者將成為個人列印的主流技術的問題，產生了激烈的辯論。兩方的專家都給予惠普許多的建議，各自爭論己方的技術將會是桌上型電腦的最終選擇。⑮

不過可以確定的是，噴墨列印是一項突破性科技。它的速度慢於雷射列印，解析度稍差、每頁的列印成本較高。但是印表機體積較小，也比雷射印表機便宜。因為價格較低，每單位的毛利也比雷射印表機要低。因此相對於雷射列印，噴墨列印絕對是一項突破性科技。

圖 5.4　噴墨印表機和雷射印表機的列印速度提升

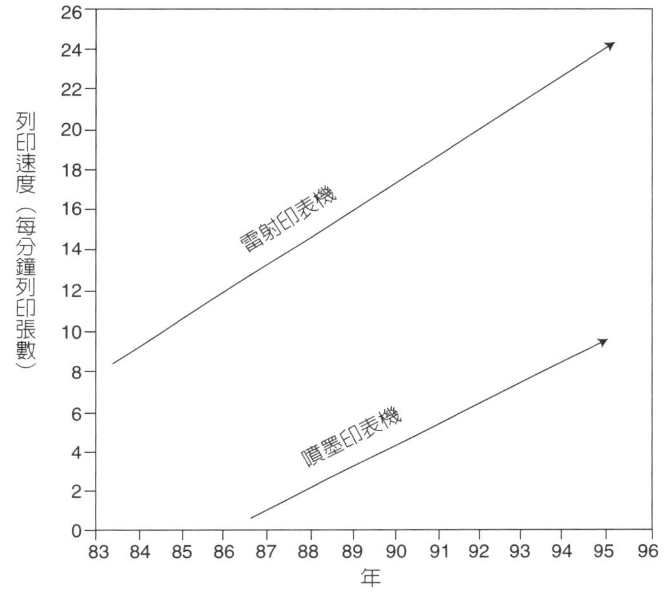

資料來源：Hewlett-Packard product brochures, various years.

惠普並不希望分割成兩個獨立的公司，又不想在原有印表機事業部門內開發突破性科技，因此他們選擇離開愛德華州的總部，在溫哥華設立完全自主的組織單位負責噴墨印表機的業務。他們讓兩個單位相互競爭。如圖5．4所示，雷射印表機事業部極速轉往高階市場，另人想起十四吋硬碟、大型主機電腦與整合型鋼鐵廠的例子。惠普的雷射印表機可以高速列印、解析度高、能夠處理數百種字型和複雜的圖表、雙面列印、可以在網路上同時服務多位使用者，而且印表機的體積也較大。

噴墨印表機的性能就沒有這麼優秀。但是關鍵在於：噴墨印表機是不是可以滿足個人電腦市場的需求？答案是肯定的。噴墨印表機的解析度與速度不如雷射印表機，但是對許多學生、教授與其他非網路桌上型電腦使用者來說，已經足夠。

惠普的噴墨印表機已經吸引許多過去使用雷射印表機的客戶。最後，位在最高階市場的使用者，也就是雷射印表機的目標客戶將會逐漸減少；也許到最後，其中一個事業部會扼殺另一個事業部。但是如果惠普沒有讓噴墨印表機成爲獨立的組織，有可能噴墨列印技術就會被主流的雷射列印技術所吞沒，任由其他積極進入噴墨印表機市場的企業如佳能（Canon），嚴重威脅惠普的印表機事業。況且如果留在雷射事業部裡，就會遭到如ＩＢＭ的大型主機事業與整合型鋼鐵廠相同的命運，在花了大把銀子之後黯然地退出市場。⑯

突破性科技的組織意涵

除了在主流企業之外另行創造一個負責突破性科技的獨立組織，團隊的結構設計必須能促使跨部門的互動。

學者指出，在產業發展史初期，大部分的科技能量都集中在架構式創新，所運用的材料與科技也都是市場現有的。⑰產品的設計傾向於整合式的，換句話說，大部分個別的元件設計都是整合在其他元件之內，或是會影響到其他元件的設計。因此，此階段的研發計畫最好是由高度整合的研發團隊所主導。然而，產品類型的主流架構設計出現了。從今而後，科技能量的運用就轉移至此一架構設計內的個別元件與次級系統的性能和成本優勢的提升。標準介面與規格開始建立，也就此定義了所有元件的互動方式。因此工程師得以從多樣的來源隨意插入或改裝、混合或配對不同的元件。

當架構式或元件式創新發生之後，既有企業便開始成立專業化的科技研發小組，針對個別元件進行更深入、更集中的研究。主要的職能團隊如行銷和製造小組，則是爲各自的元件提升附加價值。這種專業化傾向也同樣發生在工程單位。例如，汽車廠商負責設計方向盤的部門包括了數個相關的研發小組：轉向柱（steering column）小組、齒條與小齒輪裝置（rack-and-pinion gear）小組、連接桿（tie rod）小組、動力轉向幫浦（Power steering pump）小組等等。

元件如何整合以建構駕駛系統，必須依據系統架構的設計而定。學者發現，在一段期間內，個別元件與組織內小組的互動和溝通模式，反映了元件與產品架構的互動方式。就以方向盤機制爲例，負責設計軟管與動力轉向幫浦的小組必須定時聯絡，因爲他們所負責的元件必須能緊密地互動。當他們改變幫浦的設計時，幫浦設計師必須知道軟管小組中哪一位必須要知道這項消息，他們要知道什麼以及何時要改變他們自己的設計。同樣地，動力轉向幫浦小組與連接桿小組就很少會有聯繫，因爲這兩項元件在方向盤機制架構中比較沒有關連，兩組的工程師也不會知道要如何合作。產品架構與組織設計之間的平等關係如圖5．5所示。

圖 5.5　組織結構反映既有產品的架構

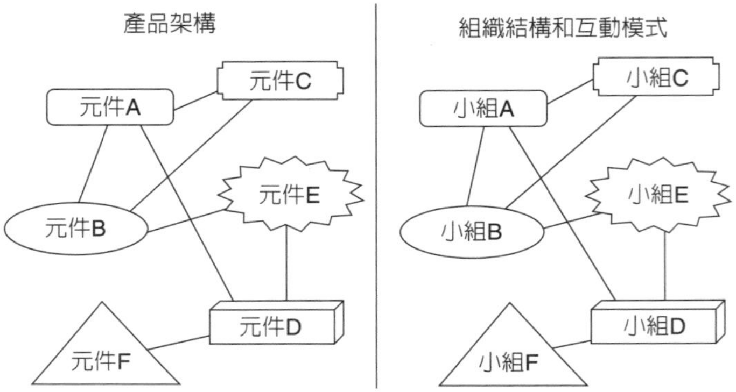

這種組織架構與合作模式的相關性可以運作得很好，只要創新是模組式的（module），也就是每一項元件的科技創新都是自給自足的，系統內的其他元件不需要變更設計以順應這項改變。尤其是，只要介面沒有變更，新的元件可以同時相容於產品架構與組織結構，組織自然懂得如何讓工作完成。在這種情況下，結構鬆散的輕量級專案團隊（lightweight team project，專案計畫主持人只是一個協調者與促進者）是很適合的。⑱

然而，當專案計畫牽涉新的架構設計，組織的結構與原有定義清楚而順暢的溝通方式，就會阻礙而非促進創新。如果一項元件的設計會以不同於過去的方式影響其他元件的性能，工程師就無法得知要知會誰、告知什麼事情、何時告知；當這項創新使得產品架構與相互模組介面改變時，工程師也不知要如何解決彼此之間的溝通問題。

圖 5.6　適合新產品與服務的組織結構

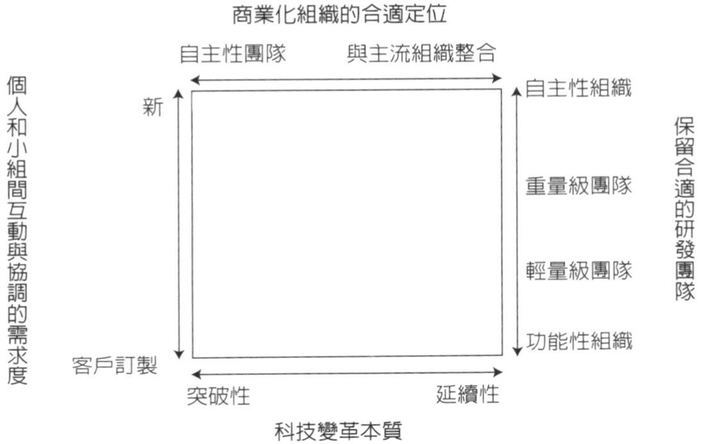

就更廣泛的層面而言，也是如此；當產品設計使得製造、採購、行銷必須以不同的模式相互合作與協調——當他們協調的方式必須改變時——那麼穩固而權力強大的團隊結構是必要的。當此一團隊可以有明確的合作方式，就不會受限於組織原有的工作步調、習慣，也不必重新擬定新的溝通與問題解決方式。

因此，有兩項因素決定了何種類型的組織結構最能促成專案計畫的成功：第一，與過去案例相較，某項創新需要人員和團隊與不同的人員、依據不同的主題，在不同時機溝通的程度；另外，就是科技的突破性。圖5．6的矩陣簡單地說明了此一結構：左軸代表創新所具備的模組化應用程度，這項因素決定了研發團隊的組織類型；下軸則是創新突破的程度，這會決定產品成功商業化所必要的獨立組織與主流組織的遠離程度。

此節的重點在於，沒有單一的開發或商業結構適合所有類型的產品與科技。所有牽涉架構創新的重要研發計畫都需要不同的合作模式，但是屬於延續性的科技創新，就可以由主流企業內的重量級團隊（heavyweight project team）負責管理。但是，突破性創新就必須在遠離主流單位之外，另行成立一個獨立的組織。

結論：利用或忽略資源依賴理論

就昆騰、Control Data、IBM、惠普的案例而言，具有創新精神的經理人在面對突破性科技時，都會另行成立一個組織，其特有的成本結構使得他們得以在突破性科技所屬的價值網絡中賺取利潤，而在此價值網絡中，客戶的力量與經理人的意圖是相符的。他們選擇利用資源依賴力量，成功地應付突破性科技。Kresge的康寧漢則採行了不同的因應方式，他切斷了原本提供企業資源的客戶依賴，而因此強化了對於來自折扣零售的新資源的依賴。[19]

在其他著名的案例中，企業經理人面對突破性科技時所做出的回應，也證明了資源依賴性的存在：當他們選擇抵抗客戶導向、利潤掛帥、理性資源分配系統的力量，就缺乏改變企業營運方向的力量。[20]

最後，爲了避免讓讀者誤以爲所有的計畫要成功，都必須創造一個獨立的組織，本章最後還提出了一個分析架構（如圖5．6），說明在不同情況下所適合的團隊類型，以及團隊與主流組織的力量與流程是否有必要保持距離以維持團隊的獨立性。

註釋：

①請參考：Jeffrey Pfeffer and Gerald R. Salancik, The External Control of Organizations: A resource Dependence Perspective (New York: Harper & Row, 1978)。

②這代表了不論是在正常情況下或是遭受突破性科技的衝擊時，決定企業所要服務的客戶類型都具有策略性影響。

③請參考：Joseph L. Bower, Managing the Resource Allocation Process (Homewood, IL: Richard D. Irwin, 1972)。

④Chester Barnard, The Functions of the Executive (Cambridge, MA: Harvard University Press, 1938), 190-191。

⑤昆騰將硬碟卡獨立出來以及之後的策略重新定位，都是策略變革流程的一項案例。請參考：Robert Burgelman, "Intraorganizational Ecology of Strategy-Making and Organizational Adaption: Theory and Field Research," Organization Science (2), 1991, 239-262。這是一種在競爭企業資源時，次佳策略計畫輸給最佳策略計畫的自然選擇流程。

⑥請參考：James Utterback, Mastering the Dynamics of Innovation (Boston: Harvard Business School Press, 1994)。奧特貝克認爲，試圖開發突破性科技的企業都希望能同時維持既有科技的競爭力，但是最終都遭到失敗的命運。

⑦請參考：Richard S. Rosenbloom and Clayton M. Christensen, "Technological Discontinuities, Organizational

Capabilities, and Strategic Commitments," Industrial and Corporate Change (3), 1994, 655-685。

⑧在一九九〇年代，迪吉多成立了個人電腦事業部，希望在個人電腦市場上有一番作爲。它並不是獨立於主流企業的自主單位；但是，昆騰與 Control Data 都是採用獨立組織的方式。雖然迪吉多爲個人電腦事業部設定了特有的績效標準，但是仍必須符合原有組織的毛利與盈收成長標準。

⑨"Harvard Study on Discount Shoppers," Discount Merchandiser, September, 1963, 71。

⑩當我在寫作本書時，Kmart已是一家搖搖欲墜的公司，威名百貨在策略與營運上都較其優越許多。然而，在之前的二十年間，凱瑪曾是相當成功的零售業者，爲 Kresge 的股東創造了巨額的財富。凱瑪現今所面臨的策略困境與當初 Kresge 面對突破性科技威脅所採行的策略無關。

⑪關於 Woolworth 與 Kresge 之間因應折扣零售的不同方式可參考哈佛商學院的研究報告："The Discount Retailing Revolution in America," No. 695-081。

⑫請參考：Rober Drew-Bear, "S. S. Kresge's Kmarts," Mass Merchandising: Revolution and Evolution (New York: Fairchild Publications, 1970), 218。

⑬F. E. Woolworth Company annual Report, 1981, p. 8。

⑭"Woolco Gets Lion's Share of New Space," Chain Store Age, November, 1972, E27。

⑮請參考："The Desktop Printer Industry in 1990," Harvard Business School, Case No. 9-390-173。

⑯商業歷史學家理查．泰德羅指出，A&P 在思考是否要利用突破性超級市場零售模式時，也同樣面臨兩難的情況：超級市場創業家要打敗的對象不在於 A&P 所擅長的領域，而是找到 A&P 所不願服務的領域。最明顯的例子就是 Kroger。這家公司當時是市場上的第二大企業，其中的一位員工（後來離開自行創辦全球第一家超級市

場）知道如何使公司成爲業界第一。但是Kroger的主管聽不進去。也許是缺乏想像力，就像A&P的主管，Kroger的主管太專注於標準的做生意方式。如果A&P的主管能夠掌握超級市場革命的契機，他們就可以自行經營物流系統。這就是爲什麼他們變得麻木、無法行動，直到一切都太遲了。最後，A&P沒有選擇的餘地。他們可以自行摧毀系統，或是眼睜睜看著他人接收。

請參考：Richard Tedlow, New and Improved: The Story of Mass Marketing in America (Boston: Harvard Business School Press, 1996)。

⑰請參考：James M. Utterback and William J. Abernathy, "A Dynamic Model of Process and Product Innovation," Omega (33:6), 1975, 639-656: Clayton M. Christensen, Fernando F. Suarez, and James M. Utterback, "Staregies for Survival in Fast-Changing Industries," Harvard Business School woking paper, 1996。

⑱輕量級與重量級專案團隊的觀念最早是由海斯（Robert H. Hayes）、惠爾萊特（Steven C. Wheelwright）和克拉克在一篇文章"Managing Product and Process Development Projects"中首次提出，此篇文章刊登在Dynamic Manufacturing: Creating the Learning Organization (New York: The Free press, 1998)。另外可以參考：Steven C. Wheelwright and Kim B. Clark, Revolutionizing Product Development (New York: The Free Press, 1992)：Kim B. Clark and Steven C. Wheelwright, "Organizing and Leading 'Heavyweight' Development Teams," California Management Review (34), Spring, 1992, 9-28。這些作者指出，突破性與平台式計畫需要重量級專案管理，而衍生性專案則需要輕量級團隊。請參考："Hospital Equipment Corporation," Harvard Business School, Case No. 697-086。文章中提到一個基本原則：輕量級團隊經理人也可以有效地執行專案計畫，甚至是科技上較爲複雜的平台計畫，只要組織中的個人與團隊知道如何合作，因爲新模組可以插入既有架構系統中加以執行。文章中也

指出，即使是科技上具有延續性的專案計畫，如果組織中的個人與團隊必須以不同於過去的方式、針對不同於過去的問題、在不同於過去的時機合作，仍需要重量級團隊。

⑲我支持另行成立一個組織獨立的事業單位以專注於突破性科技的商業化，並不表示這是解決複雜問題的萬靈丹。關於「企業創投」學界也有許多的討論，請參考：Rober Burgelam and Leonard Sayles, Inside Corporate Innovation (New York: The Free Press, 1986)：Zenas Block and Ian MacMillan, Corporate Venturing (Boston: Harvard Business School Press, 1993)。

⑳經理人最重要的工作是定義和創造適當的體系，使組織的流程可以有效率的執行。請參考：Robert Burgelman, "A Model of the Interaction of Strategic Behavior, Corporate Context, and the Concept of Strategy," Academy of Management Review (3), 1983, 61-69: Edward H. Wrapp. "Good Managers Don's Make Policy Decisions," Harvard Business Review, September-October, 1967。

第六章

組織規模需符合市場規模

成長導向的大型企業所面臨的問題，是小規模的市場無法解決大型企業的短期成長需求。突破性科技所創造的初期市場規模都不大，要進入這些新興市場的企業，必須建立適當的成本結構，以符合小規模的獲利。

面臨突破性科技的企業，必須爭取領導地位而非成爲追隨者。因此有必要由規模符合突破性科技市場的商業化組織負責此項專案計畫。這是基於兩個原因：在面對突破性科技時，取得領導地位是非常重要的；小型的新興市場無法解決大型企業的短期成長與利潤需求。

硬碟產業的發展史顯示，創造新市場比起進入既有市場，風險較低、報酬較高。但是當企業的規模愈來愈大、愈成功時，進入新興市場的困難度會隨之提高。因爲成熟企業必須逐年增加大筆的新收入，以維持必要的成長率，而小眾市場無法爲企業帶來所需的額外利潤。就如同我們所看到的，最直接的辦法就是成立一個規模符合小型市場商機的組織，即使主流企業持續成長，也要定期採取同樣的做法以面對突破性科技的興起。

領導地位重要嗎？

管理創新時的一項重要策略決定是，成爲領導者或追隨者的問題是不是很重要？許多書籍都提到先進者優勢（first-mover advantage），也有許多學者認爲，必須等候先進者消除創新的風險後再行加入。「你永遠都知道先驅者是誰，」一句管理俗諺說道，「他們就是背上插著箭的人。」就像許多管理理論有許多的分歧意見，沒有哪一種定位是永遠對的。的確，硬碟發展史讓我們了解何時取得領導地位是重要的，而何時當追隨者是明智的。

延續性科技的領導地位不一定是重要的

薄膜讀寫頭的發明，是影響硬碟紀錄密度提升速度的分水嶺。我們在第一章討論過，儘管這項技術具有極爲不同的特性，而且還必須花費一億美元與五至十五年的研發時間，但是主導此項技術的都是硬碟產業的既有領導廠商。

因爲科技研發所帶來的風險以及對產業的潛在重要性，新聞界開始揣測誰將主導薄膜讀寫頭的技術。傳統的鐵酸鹽讀寫頭技術的進步空間還有多大？會有任何一家廠商因爲在新技術研發上落後或不予理會而遭到淘汰的命運嗎？然而事實證明，不論企業在這項創新上是領導者或追隨者，對於他們既有的競爭地位並沒有實質的影響。請參考圖6・1和6・2。

圖 6.1　領導廠商採用薄膜技術的時間點以及同時間鐵酸鹽／氧化物技術的紀錄密度區域密度（Mbpsi）

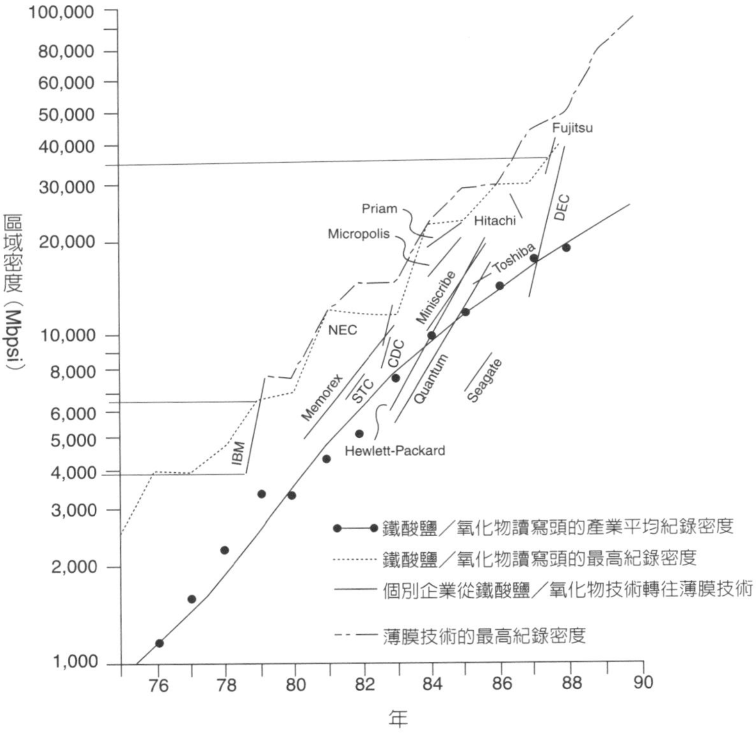

資料來源：Data are dorm various issues of *Disk/Trend Report*.

圖6．1顯示，每一家領導廠商推出第一台薄膜讀寫頭硬碟的時機。垂直軸代表硬碟的記錄密度，黑線底端表示每家企業在其運用薄膜讀寫頭技術之前，所能達到的最大記錄密度。黑線的頂表示首次推出薄膜讀寫頭硬碟時所能達到的最高記錄密度。仔細觀察企業認知到推出新科技的重要性的時間點差異。IBM是業界的領導廠商，當其記錄密度達到3Mbpsi

圖6.2　採用薄膜技術之順序與一九八九年最高紀錄密度之產品的關係

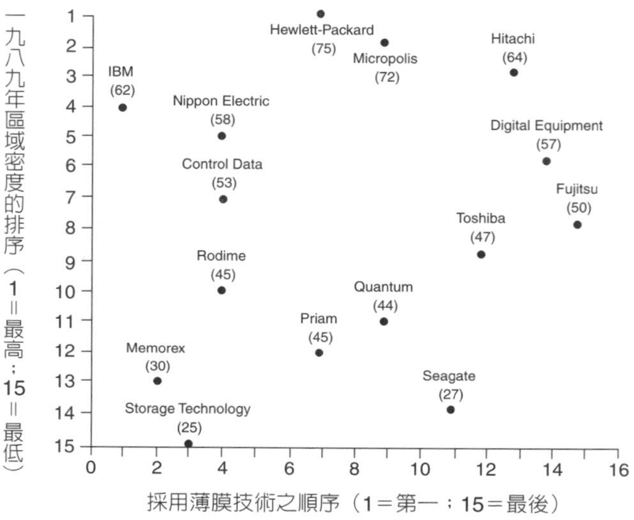

資料來源：Clayton M. Christensen, "Exploring the Limits of the Technology S-Curve. Part I: Component Technologies," Production and Operations Management 1, no. 4 (Fall 1992): 347. Reprinted by permission.

時推出新的讀寫頭技術，Memorex和Storage在這項科技上也居於領導的地位。另一方面，富士（Fujitsu）和日立則不斷提升傳統鐵酸鹽讀寫頭的紀錄密度，是當年IBM首次推出此項科技時的十倍多，而他們在薄膜技術上選擇當追隨者而非領導者。

在延續性科技上居於領導地位有什麼效益？並沒有證據顯示，領導者比追隨者具備明顯的競爭優勢；首先開拓薄膜技術的廠商在市場占有率上並沒有特別突出的成就。此外，這些領導廠商也沒有發展出任何學習優勢，得以因爲及早進入而使其記錄密度高於追隨者。

請參考圖6．2，水平軸顯示企業應用薄膜技術的先後次序。我們可以看出，IBM第一、Memorex第二，而富士排名第十五。垂直軸顯示一九八九年每一家企業銷售的最先進機型的記錄密度排序。如果優先使用薄膜讀寫頭的廠商在經驗上比起追隨者占有優勢，那麼圖中的圓點就應該由左上角往右下角傾斜。但是圖6．2顯示在薄膜讀寫頭技術上，領導者與追隨者和科技優勢之間沒有絕對的關聯。①

硬碟產業的其他延續性科技也有相同的模式：實際上沒有一家在研發或應用延續性科技上居於領導地位的廠商，擁有顯著的競爭優勢。②

在突破性科技取得領導地位可以創造高度價值

就硬碟產業的發展史而言，在延續性科技上居於領導地位並沒有明顯的競爭優勢；相反地，卻有證據顯示，在突破性科技上取得領導地位則極為重要。在突破性科技興起的頭兩年就進入新價值網絡的企業，其成功機會是稍後進入者的六倍。

在一九七六年到一九九三年期間，有八十三家企業進入美國硬碟產業。其中有三十五家採多角化經營，如Memorex、Ampex、3M和全錄，他們另外生產其他電腦周邊設備或其他磁式記錄產品。另外的四十五家則是獨立的創業公司，許多都是由創投公司所投資的，其創辦人先前都曾在業界的企業工作過。以上的統計數字只是針對所有公開展示硬碟設計的公司——不論是否有實際的銷售行為——所進行的普查結果。

每一家企業所採取的進入策略可由表6．1之兩軸表示。垂直軸代表科技策略，位於下層的企業選擇運用已獲得認可的科技，位在上層的企業則會使用一到多項新的元件科技。③水平軸代表市場策略，左側的企業選擇進入既有的價值網絡，而右側的企業則是進入新興價值網絡。④此表可以有另一種表現方式，上層左右兩側為積極開發與應用延續性創新的企業，右側下兩層則為創造新價值網絡的企業。位在右側的企業包括所有嘗試創造新價值網絡的企業，甚至是沒有具體化成為實體市場的價值網絡。

每一象限顯示了運用此一象限所代表的策略而進入市場的企業。「成功」一欄是在第一年就成功創造出一億美元盈收的企業數目，不論最後其失敗與否；「失敗」一欄中則顯示了無法達到一億美元的門檻並在稍後退出市場的企業數目。「否」一欄則表示無從判斷，因為他們仍未達到一億美元的銷售額，但是在一九九四年仍有在營運；「總計」一欄則代表此一象限內進入市場的企業總數。⑤「成功百分比」表示達到一億美元銷售下限的企業數目百分比。最後，在矩陣圖的下一頁則是左右兩個象限的總計結果。

矩陣圖下身的數字顯示，五十一家進入既有市場的企業中只有三家（六%）達到一億美元的盈收目標。在突破性科技創新——進入市場未滿兩年——居於領導地位的企業，其中有三七%超越一億美元的標準，如表6．1右側。企業是否為創業型企業或是多角化經營對於

表6.1　在一九七六年到一九九四年間，其年收入至少在一年內達到一億美元的硬碟廠商

進入市場所採取的科技策略	既有市場 企業型態	成功	失敗	否	總計	成功率（%）	銷售額（百萬美元）	新興市場 企業型態	成功	失敗	否	總計	成功率（%）	銷售額（百萬美元）
新科技	創業公司	0	7	3	10	0%	$235.3	創業公司	3	4	1	8	37%	$16,379.3
新科技	相關科技	0	1	0	1	0%	0.0	相關科技	0	0	0	0	–	–
新科技	相關市場	0	3	0	3	0%	1.4	相關市場	0	0	0	0	–	–
新科技	整合型市場	0	1	0	1	0%	0.0	整合型市場	0	0	0	0	–	–
新科技	總計	0	12	3	15	0%	$236.7	總計	3	4	1	8	37%	$16,379.3
既有科技	創業公司	3	11	4	17	18%	$2,485.7	創業公司	4	7	2	13	31%	$32,043.7
既有科技	相關科技	0	4	0	4	0%	191.6	相關科技	4	2	0	6	67%	11,461.0
既有科技	相關市場	0	12	0	12	0%	361.2	相關市場	1	4	0	5	20%	2,239.0
既有科技	整合型市場	0	3	0	3	0%	17.7	整合型市場	0	0	0	0	–	–
既有科技	總計	3	30	4	36	8%	$3,056.2	總計	9	13	2	24	36%	$45,743.7

表6.1　在一九七六年到一九九四年間，其年收入至少在一年內達到一億美元的硬碟廠商（續）

進入市場所採取的市場策略

所有公司的統計，不考慮科技策略	成功	失敗	否	總計	成功率（%）	銷售額（百萬美元）
創業公司	3	18	7	27	11%	$2,721.0
相關科技	0	5	0	5	0%	191.6
相關市場	0	15	0	15	0%	362.6
整合型市場	0	4	0	4	0%	17.7
總計	3	42	7	51	6%	$3,292.9

所有公司的統計，不考慮科技策略	成功	失敗	否	總計	成功率（%）	銷售額（百萬美元）
創業公司	7	11	3	21	33%	$48,423.0
相關科技	4	2	0	6	67%	11,461.0
相關市場	1	4	0	5	20%	2,239.0
整合型市場	0	0	0	0	－	－
總計	12	17	3	32	37%	$62,123.0

資料來源：Data are from various issues of *Disk/Trend Report*.

其成功率沒有太大的影響。眞正的關鍵不在於組織形式，而是在於企業是否在突破性科技的開發上以及創造新市場上居於領導地位。[6]

進入延續性元件科技並試圖爭取領導地位的企業中（矩陣圖的上半部），成功率只有一三%，採取追隨策略的企業成功率爲二〇%。明顯地，右下角象限的成功率最高。

每一象限的最右側欄位的累計銷售數量代表採取此策略的所有企業的總盈收；其結果顯示在矩陣圖表之下頁表格。結果令人相當驚訝，在一九七六年到一九九四年間，突破性科技領導企業的總盈收達到六百二十億美元。[7]稍後進入市場（已發展爲成熟市場）的追隨者總盈收爲三十三億美元。這的確是創新的兩難。進入新興小眾市場的企業，其盈收是進入大眾市場的二十倍。平均每家企業的盈收差異更是令人吃驚：稍後運用突破性科技進入市場的企業，也就是矩陣圖左半部的企業，平均每家企業的累計盈收爲六千四百五十萬美元，領先運用突破性科技的企業平均盈收爲十九億美元。左半部的企業似乎比較吃虧。他們是以市場風險，也就是突破性科技的新興市場有可能不會發展成熟的風險，交換競爭力風險，也就是進入市場對抗既有競爭者的風險。⑧

企業規模與突破性科技領導地位

儘管在突破性科技上取得領導地位可以創造高額的利潤，但通常不是既有企業取得先機。既有企業的客戶會透過理性、穩固的資源分配流程，妨礙企業商業化突破性科技。此外，另一項困擾既有企業的因素，是當企業規模愈大、愈成功時，就更難以說服他們及早進入新興市場，雖然以上的結果顯示及早進入是成功的關鍵。

優秀的經理人有千萬個理由必須維持組織的成長。其中之一是成長率對於股價有重要的影響。企業的股價反映了企業未來預期盈餘的折現值，股價不論是上漲或下滑，都是受到預期盈餘成長率的變動所影響。⑨換句話說，如果企業目前股價表現是依據二〇%的預期成長率，而稍後市場向下修正爲一五%，那麼企業的股價未來就有可能下滑——即使收入與盈餘依正常的成長率增加。穩定上漲的股價可以讓企業取得必要的資金，支援重要的研發團隊。快樂的投資者是企業的資產。

股價上漲使得股票選擇權成為提供誘因與獎勵優秀員工的好方法，成本也較低。當股價停滯或下滑，股票選擇權就失去了價值。此外，企業的成長使得位居高層的高績效員工仍有擴展職責的空間。當企業停止成長，就很難有晉升的空間，成為未來領導人的機會也更為渺茫。

最後，另一個重要的證據顯示，相對於成長停滯的企業，成長中的企業較願意投資新產品與新流程科技。⑩

不幸的是，規模愈大、愈成功的企業發現，維持企業的成長是愈形困難。道理很簡單；一家規模達四千萬美元的企業，其盈餘成長率必須達到二〇%，才能維持股價與組織生命，因此第一年它必須多增加八百萬美元的收入，第二年為九百六十萬美元，依此類推；營業額四億美元、盈餘成長率為二〇%的企業，第一年必須增加八千萬美元的收入，第二年必須是九千六百萬美元；而一家營業額四十億美元、目標成長率為二〇%的企業，就必須在第一年找到八億美元、第二年九億六千萬美元的新收入。

這個問題對於面臨突破性科技的大型企業更是困擾不已。突破性科技促使了新市場的出現，但是其規模小於八億美元。然而正因為其規模小——最不吸引追求大量新盈收的大型企業——於此時進入是最佳的時機。

大型的成功企業的經理人在面對突破性科技時，如何解決規模與成長的現實問題？我在此提出三種方法：

一、試圖影響新興市場的成長率，使其成長規模與速度符合大型企業利潤與盈收成長軌道。

二、等候市場出現而且更爲明確之時，並在其「規模大到足以吸引大型企業」時再行進入。

三、另行成立一個組織，其規模符合突破性科技新興市場所能創造的收入、利潤與少量訂單，全力發展突破性科技。

依據以下的案例研究，前兩種方式根本無法解決問題，至於第三種方式雖有缺點，但是成功的機會較大。

提升新興市場的成長率

蘋果電腦很早就進入手提電腦、個人數位助理的市場，他們的經驗可以讓我們更明白大型企業進入小型市場所遭遇的困難。

蘋果電腦於一九七六年推出蘋果一號（Apple I）。這款功能有限的初階電腦是當時最好的產品，每一台售價爲六六六美元，在其退出市場前共售出了兩百台。但是蘋果一號並沒有爲企業的財務帶來太大的負擔。蘋果電腦對此產品的投資不大，企業與客戶也從這次的經驗學到許多桌上型個人電腦的使用方法。之後蘋果電腦於一九七七年推出蘋果二號，這次就非常成功。推出市場的頭兩年就銷售了四萬三千台，[11]該項產品的成功也使得蘋果電腦成爲個人電腦業的領導者。因爲蘋果二號的成功，蘋果電腦於一九八〇年公開上市。

在蘋果二號推出的十年後，蘋果電腦已成長爲營業額五十億美元的大型企業，就如同所有的大型成功企業，他們必須逐年提高其收入以維持股價與組織生命。在一九九〇年代初期，手提式個人數位助理的新興市場是達成其必要成長率的潛在媒介。一九七八年時蘋果二號創造了個人電腦產業，而這次的機會對蘋果電腦來說更是機不可失。蘋果電腦的傑出設計專家擅於設計簡易使用的產品，而簡易使用與方便性正是個人數位助理的基本設計概念。

蘋果電腦如何抓住這次機會？他們積極地投資了數百萬美元開發這項產品，將其命名爲「牛頓」（Newton）。這項產品的特色是經由史上最嚴謹的市調結果來決定；他們運用目標團體與各種類型的調查，以決定客戶所需要的特色。個人數位助理具備許多突破性科技的特性，也解決了許多潛在問題。蘋果電腦的執行長約翰·史古利（John Sculley）將牛頓的開發視爲個人的第一優先事項，積極地促銷產品，並確保獲得其所需的技術與財務支援。

在牛頓推出的頭兩年，也就是一九九三和一九九四年，總共銷售了十四萬台。但是許多觀察家將牛頓視為一次大挫敗。就技術上而言，它的手寫辨識能力讓人感到相當失望，無線通訊技術也使其價格居高不下。但是最令人難堪的是，史古利曾公開稱讚牛頓是維持企業成長的關鍵產品，然而第一年的銷售額只占全企業盈收的百分之一。不論再怎麼努力，牛頓仍無法滿足企業的成長需要。

但是牛頓算是失敗的案例嗎？牛頓進入手提電腦市場的時機與蘋果二號進入桌上型電腦的時機相類似。它是屬於突破性科技的產品，目標客戶未明，而這群未明客戶的需求對於他們自己或是蘋果電腦來說都是未知的。在這種情形下，牛頓的銷售結果對於蘋果電腦的主管來說，其實是相當驚喜的：它超越了蘋果二號頭兩年的銷售額。但是一九七九年銷售蘋果二號時的蘋果電腦是一家初次公開上市的小型企業，到了一九九四年推出牛頓時，蘋果電腦已是一家大型企業，十四萬台的成績相對而言可說是失敗的。

突破性科技可以促使以前不可能達成的目標成真。也正因為如此，當突破性科技興起時，製造商與客戶不知道如何以及為何使用這項產品，所以也就無從得知什麼樣的特色會受到重視。在建立具有此種特性的市場時，客戶與製造商必須共同合作找出彼此的交集——這個過程需要時間。例如，在蘋果電腦發展個人電腦的過程中，蘋果電腦一號失敗了，第一代蘋果二號成績普通，到了第二代蘋果二號則是大放異彩。蘋果三號則因為品質問題而遭到挫敗，麗莎（Lisa）電腦的成績也讓人汗顏不已。前二代的麥金塔電腦更是一波三折。直到第三代麥金塔電腦，蘋果電腦與其客戶才眞正找到便利、容易使用的標準。⑫

但是在推出牛頓時，蘋果電腦卻忽略了定義產品與市場的共同摸索流程。它假設客戶知道他們所要的，也願意花錢去找出自己所要的（稍後我會在第七章說明，這是不可能的事）。爲了給予客戶自以爲所要的，蘋果電腦等於是在一個新興產業扮演延續性科技領導者的角色。他們不斷提升移動式數據通計與手寫辨識技術，以超越現有市場的需求。最後他們必須說服人們去購買他們所設計的產品。

因爲新興市場規模小，組織的獲利規模也會相對變小。這點認知是非常重要的，因爲被認爲可獲利或成功的組織與計畫，便能持續從企業夥伴與資本市場中取得必要的財務與人力資源。被認知爲失敗的計畫則很難吸引到相關的支援。不幸的是，蘋果電腦爲了加速個人數位助理市場的成熟而大規模地投資，因此很難獲得高額的報酬。不難想像，牛頓的成績爲何被大眾認爲是失敗的。

就如同許多企業失敗的案例，事先也有某些徵兆預示了牛頓計畫的失敗。但我相信，根本的原因不在於失當的管理。主管的行動其實隱含了更深層的問題：小眾市場無法滿足大型組織的短期成長需求。

等候市場規模成長

大型企業面對突破性科技的另一種方式是等候新興市場「大到有利可圖時」再行進入。這種辦法有時候是可行的，一九八一年時的IBM就是採取此種做法進入桌上型個人電腦。但這種邏輯似是而非，因爲創造新市場的企業必定會積極提升相關的能力，提高後者進入的門檻。硬碟產業的兩項案例即可證明。

Priam是八吋硬碟的領導廠商，主要客戶爲迷你電腦製造商，它於一九七八年進入此市場，並建立完整的科技能力，以兩年爲其研發週期。新產品推出的速度與其客戶推出自有產品的速度是一致的。

希捷於一九八〇年在新興的桌上型個人電腦市場推出第一台五・二五吋硬碟，其研發速度與**Priam**相較就緩慢了許多。但是到了一九八三年，希捷與其他在五・二五吋硬碟產業居於領導地位的廠商一樣，其推出新產品的週期縮減爲一年。由於希捷與**Priam**在新產品推出的週期上愈來愈接近，因此希捷迅速地取得了**Priam**原有的性能優勢。

Priam在一九八二年推出第一台五・二五吋硬碟。然而五・二五吋硬碟的新產品推出週期爲二年，雖符合迷你電腦市場的研發週期，卻不符合桌上型電腦市場的一年週期。因此，很難從桌上型電腦廠商取得單一的代工訂單：新產品無法趕上桌上型電腦的最新設計。希捷不斷地縮減週期，因此超前**Priam**許多，**Priam**最後在一九九〇年結束營運。

第二個案例是，在一九八四年希捷是三・五吋硬碟的第二大廠商。其中有些分析師認爲希捷可以在一九八五年時開始量產三．五吋硬碟；確實，希捷在一九八五年的Comex電腦展中展示了一〇MB的三．五吋硬碟。但是直到一九八六年希捷才開始量產三．五吋硬碟，休卡特（Al Shugart）執行長解釋道，「至目前爲止，市場規模仍不夠大。」[13]在一九八七年，當時的三．五吋硬碟的市場規模達到十六億美元，希捷才眞正進入市場。然而在一九九一年，雖然希捷的三．五吋硬碟量產規模達到一定的水準，但是仍未成功地進入手提電腦市場，主要客戶仍是桌上型電腦廠商，但這正是希捷五．二五吋硬碟的主力市場。爲何會如此？

一個可能的原因是，Conner Peripherals成功地將三．五吋硬碟銷售給手提電腦廠商，因而改變了硬碟廠商進入手提電腦市場的模式。就如同一位主管說的：「在代工硬碟產業的初期，產品研發必須經歷三個階段。第一步設計硬碟、第二步是製造、最後就是銷售。我們改變了規則：第一步是銷售、然後設計、最後是製造。」[14]

換句話說，Conner將手提電腦市場轉型爲重要客戶訂製的市場。他們也重新定義了行銷、工程能力與製造流程。[15]另一位主管說：「希捷從未理解到如何進入手提電腦市場。他們一直無法明白。」[16]

給予小規模組織小機會

每一項創新都是困難的。當組織內所有人都不斷質疑一項計畫的時候，更是難上加難。

人們認爲合理的計畫，必須能符合重要客戶的需求、有助於組織的利潤與成長需求、可提高優秀員工的生涯晉升機會。如果一項計畫不具備以上其中一項特點，經理人必須花費時間與精力，解釋這項計畫爲何需要資源，而且往往力不從心。通常在這種情況下，最優秀的人員不願與這項計畫有任何牽涉——尤其當資源緊縮時，這些被視爲無意義的計畫最先遭到擱置或取消。

主管可以大力宣傳該項計畫的獲利前景，只要他們確定組織中的每一個人都認爲這項計畫是重要的，對組織的未來成長與獲利是重要的。在這樣的情況下，當遭遇到不可避免的失敗、無法預見的問題或進度落後的情況時，組織便能找到解決問題的方法。

在小規模的新興市場推動商業化突破性科技的計畫時，對於大型企業的成功並沒有多大意義；小眾市場無法解決大型企業的成長問題。大型組織不應該浪費時間讓所有人相信突破性科技在將來會是重要的科技。較好的方式是另行成立一個組織負責突破性科技創新，其規模必須符合新興市場的獲利規模。大型企業可獨立出一個組織，或是收購一家小型企業。期望大型企業內成就導向的員工，投入大量的資源、注意力與精力在一項小規模、低獲利的突破性科技計畫上，無異於努力擺動手臂想飛一樣天眞，這樣的做法完全忽略了組織運作的模式。⑰

獨立組織有許多成功的案例。例如 Control Data，先前錯失了八吋硬碟的先機，之後他們在奧克拉荷馬市成立一個研發小組，負責五・二五吋硬碟的研發工作。Control Data除了必須迴避主流客戶的影響力之外，他們希望成立一個適合此新興市場規模的組織。「我們需要一個組織，」一位經理人思考著說，「可以因爲一張五萬元的訂單而雀躍不已。在明尼亞波利斯（其所研發的十四吋硬碟在主流市場的銷售額達十億美元），一張百萬美元的訂單才能讓他人點頭。」Control Data的投資事後證明是成功的。

另一種使組織規模符合新興市場利潤規模的做法，就是購併一家研發突破性科技的小型企業。這是Allen Bradley從機械式轉型爲電子馬達控制器的成功策略。

數十年來，AB（Allen Bradley）在馬達控制器產業已是公認的領導者，專門生產耐久而複雜的轉換器（switch），可以開關電動馬達，以避免負荷過量或形成浪湧。AB的客戶都是機器工具與起重機的製造商，另外還包括HVAC（工業用與商業用加熱、通風與空調系統；heating, ventilating, and air conditioning）承包商。馬達控制器是一種電子機械裝置，與住宅用燈光轉換器的運作原理相同，只是範圍較廣。在較複雜的機械工具與HVAC系統內，電動馬達和其控制器都是透過電子機械繼電轉換器（relay switch）相互連接，遇到某種特殊情況時會自行開啓與關閉。因爲某些設備價值高昂，若無法運作會造成極大的損失。控制器必須夠耐用，可以執行數百萬次的開關動作，並抵擋環境的震動與灰塵。

一九六八年，一家名爲Modicon的創業企業，主要是銷售電子程式（electronic programmable）

馬達控制器——就主流的電子機械控制器使用者的觀點而言，這是屬於突破性科技。德州儀器也於稍後加入此市場。因爲早期的電子控制器缺乏耐震度，因此無法像AB所生產的控制器可以在極惡劣的環境下運作，所以Modicon和德州儀器的產品無法銷售給主流的機械工具製造商與HVAC承包商。就主流市場的性能標準而言，電子產品的性能低於傳統控制器，而且很少有主流客戶需要電子控制器所提供的程式彈性。

由此可知，Modicon和德州儀器被迫爲程式控制器找尋新的市場：工廠自動化市場。這個新興市場的客戶不是設備製造商，而是設備使用者，如福特和通用汽車，他們正開始整合各項自動化生產設備。

電子機械馬達控制器的五大廠商——Allen Bradley、Square D.、Cutler Hammer、奇異（GE）和西屋（Westinghouse），只有AB在程式電子控制器市場占有一席之地，並不斷地提升其耐震度以進入馬達控制器的核心市場。AB在Modicon之後兩年進入電子控制器市場，並在短短數年間，取得市場領導地位，同時在舊有的電子機械產品市場上仍保有強勢的地位。隨後他們轉型爲電子控制器的主要供應商，主要針對工廠自動化市場。其餘的四家廠商則在更後期才推出電子控制器，然而最後不是退出市場就是地位愈來愈弱勢。就科技能力的觀點來看，這樣的結果實在是令人相當驚訝，因爲奇異和西屋在當時和AB一樣，都是微電子技術的佼佼者，只是AB不具備系統化的經驗。

為何AB最後會獲得成功？一九六九年，也就是Modicon進入市場後的一年，AB主管購入Information Instruments二五%的股權，這是一家位在密西根、專門生產程式控制器的新企業。一年後他們收購Bunker Ramo的一個開發程式電子控制器的部門。AB將這些購入的單位整合成單一的事業單位，獨立於主流的電子機器產品事業部之外。隨著時間的演進，電子產品開始入侵電子機械控制器的市場，而AB的一個事業單位此時正在攻擊自己公司的另一單位。[18]相反地，其餘的四家企業則試圖在主流的電子機械部門之內，成立電子控制器事業，卻沒有一家企業在這項新科技上有突出的表現。

嬌生（Johnson & Johnson）在面對突破性科技時，如內視手術設備和可拋棄式隱形眼鏡等，同樣採取類似AB的策略，也獲得了極大的成功。嬌生的總盈收高達二百億美元，它是由一百六十家營運自主的企業組合而成，包括MacNeil和Janssen大型製藥企業，以及年盈收只有二千萬美元的小企業。嬌生的策略即是透過小企業研發各項突破性科技產品。

結論

追求企業成長與競爭優勢的經理人，必定希望其所屬企業在各方面都是領導者。證據顯示，在延續性科技中，專注於提升傳統科技性能、並在新科技應用中擔任追隨者的企業，依然可以保持優勢與競爭力。但是就突破性科技而言，情況則完全不同。及早進入突破性科技新興市場的企業，可以獲得高額的報酬，並具有先進者優勢。在突破性科技商業化上居於領導地位的硬碟製造商，其成長速度快於追隨者。

儘管在突破性科技中取得領導地位是重要的，但是成功的大型創新者在追求領導地位時，仍會遭遇到兩難的景況。除了必須應付現有客戶的力量外，成長導向的大型企業所面臨的問題是，小規模的市場無法解決大型企業的短期成長需求。突破性科技所創造的初期市場規模都不大，先進企業初期所接受的訂單數額都很小。要進入這些新興市場的企業，必須建立適當的成本結構，以符合小規模的獲利。至於若決定成立小型組織負責執行突破性科技創新，就必須將這項計畫視爲企業成長與成功的重要道路，而非企業主流業務之外的副業。

這樣的建議其並不新穎，許多管理學者也認爲規模小與獨立有助於創新。第五與第六章的目的是希望提供更深入的洞見，了解在何種情況下，這項策略是合適的。

註釋：

①請參考：Robert Hayes, "Strategic Planning: Forward in Reverse?" Harvard Business Review, November-December, 1985, 190-197。我相信在某些情況下，在延續性上取得領導地位是重要的。有一次我與克拉克私下聊天時，他提到所謂的某些情況就是發生在情勢險惡（knife-edge）產業，這些產業的競爭單純而單向，不容許有犯錯的機會。其中一個例子就是PLA（photolithographic aligner），請參考：Rebecca M. Henderson and Kim B. Clark,

"Architectural Innovation: The Reconfiguration of Existing Systems and the Failure of Established Firms," Administrative Science Quarterly (35), March, 1990, 9-30。校正器製造商在面對延續性架構變革時因爲在科技上居於落後地位而遭到失敗的命運。因爲在PLA產業的競爭基礎是非常單純的，即使產品本身非常的複雜；這項產品可以在矽晶薄片上蝕刻最細窄的線條。而PLA的客戶多半是積體電路製造商，他們必須購買最快速、性能最好的photolithographic aligner設備，才能維持在產業中的競爭力。情勢之所以險惡是因爲產品功能是競爭的唯一因素。PLA的產品不是快速成功就是失敗。因此在此種情況之下，在延續性科技維持領導地位就非常的重要。

然而在其他產業，在延續性科技上取得領導地位並不重要，最明顯的例子就是NCR從電子機械技術轉型爲電子技術（請參考：Richard S. Rosenbloom, "From Gears to Chips: The Transformation of NCR and Harris in the Digital Era, Working Paper, Harvard Business History Seminar, 1988）。NCR很晚的時候才開始研發並推出電子收銀機。在一九八〇年代初期，因爲時機太晚，在推出的第一年其銷售量跌至零。但是，因爲具備極強的領域服務能力（field service capacity），因而得以存續下來。NCR之後利用其品牌力量與領域銷售展示（field sales presence）迅速提高市場占有率。

雖然收銀機是非常簡單的產品，但是我認爲它的市場非常複雜。因爲競爭基礎包含了許多層面，因此生存的方法也很多。一般而言，當市場愈複雜，在延續性科技創新維持領導地位就愈不重要。但是就情勢險惡市場或突破性創新而言，領導地位是非常重要的。在此感謝克拉克與海斯的協助。

②這並不是說產品性能或產品成本遠落後競爭對手的企業一定可以成功。我的意思是，沒有證據顯示，在延續性科技創新中占有領導地位的企業，比起採取追隨策略的企業具有永久的競爭優勢，因爲成功的路不只一條，複

雜產品（如硬碟）的改良方法有很多。開發與應用新元件科技，如薄膜與磁阻式讀寫頭，也是改善性能的一種方式，其他仍有數不清的改善方式，企業也可以等候新方式更爲人所理解、更爲可靠再行進入。請參考：Clayton M. Christensen, "Exploring the Limits of the Technology S-Curve," Production and Operations Management (1), 1992, 334-366。

③爲了分析的方便，所謂的「新的或是未經證實」的科技，是指距離首次運用在產品內的時間未滿兩年，而運用此項新科技的產品是由世界上任何一家企業或在市場上存續超過兩年的企業所製造，而且低於二〇%的硬碟製造商在其中一項產品內使用這項科技。

④所謂的新興市場或價值網絡是指距離硬碟首次被安裝在電腦內的時間未滿兩年的市場；既有市場是指距離第一台硬碟被安裝在電腦的時間已超過兩年的市場。

⑤經由收購的方式進入市場，在硬碟產業中並不多見。全錄即採取了此項策略，它收購了Diablo、Century Data和Shugart Associates。但是購併之後的績效表現不如預期，因此很少有企業採取此項策略。另一家採取購併做法的就是Western Digital購併Tandy。關於全錄與Western Digital的購併內容請參考表6．1。另外從昆騰獨立出來的Plus Development Corporation也列在表6．1中。

⑥此一矩陣表的資料也許對創投家有些用處，他們可藉此衡量各項投資案的風險度。創業企業在延續性科技上的成功率較低，但若是其所提出的技術夠簡單、可靠與便利，能夠顛覆既有產業，創業企業的成功率就會大大提升。至於產業的既有企業則較積極地追求延續性創新，卻不願追求突破性科技創新。

⑦並非所有的小型、新興市場都能成爲大規模市場。例如，抽取式硬碟在推出十年後，仍屬於小型的利基市場，直到一九九〇年代中期才有所成長。結論指出新興市場可以有較高的成功機會，只是就一般情形而言。

⑧許多創投家都認為不應該同時承擔市場與科技面的風險。請參考：Lowell W. Steele, Managing Technology (New York: McGraw Hill, 1989)。本書中關於不同創新策略的未來成功機率的研究，是參考了Steele和Lyle Ochs的觀念。另外請參考：Allan N. Afuah and Nik Bahram, "The Hypercube of Innovation," Research Policy (21), 1992。

⑨財務分析師決定股價時最常運用的公式是：P=D/ (C-G)，P代表每股價格、D代表每股股利、C代表企業的資本成本、G代表預估長期成長率。

⑩請參考：Clayton M. Christensen, "Is Grwoth an Enabler of Good Management, or the Result of it?" Harvard Business School working paper, 1996。

⑪Scott Lewis, "Apple Computer, Inc.," In Adele Hast, ed., International Directory of Company Histories (Chicago: St. James Press, 1991), 115-116。

⑫請參考：Paul Frieberger and Michael Swaine, Fire in the Valley: The Making of the Personal Computer (Berkeley, CA: Osborne-McGraw Hill, 1984)。

⑬"Can 3.5" Drives Displace 5.25s in Personal Computing?" Electronic Business, 1 August, 1986, 81-84。

⑭Personal interview with Mr. William Schroeder, Vice Chairman, Conner Peripherals Corporation, November 19, 1991。

⑮請參考：Dorothy Leonard-Barton, "Core Capabilities and Core Rigidities: A Paradox in Managing New Product Development," Strategic Management Journal (13), 1992, 111-125。

⑯Personal interview with Mr. John Squires, cofounder and Executire Vice President, Conner Poripherals Corporation, April, 1992。

⑰請參考：George Gilder, "The Revitalization of Everything: The Law of the Microcosm," Harvard Business Review, March-April, 1988, 49-62。

⑱請參考：John Gurda, The Bradley Legacy (Milwaukee: The Lynde and Harry Bradley Foundation, 1992)。

第七章

發現新興市場

不存在的市場是無法分析的：供應商與客戶必須共同發掘。在研發期間，突破性科技的應用市場是未知的，同時也是不可知的。因此經理人在擬定相關的策略與計畫時，應是著重學習與發現，而非執行。

不存在的市場是無法分析的：供應商與客戶必須共同發掘。在研發期間，突破性科技的應用市場是未知的，同時也是不可知的。因此經理人在擬定相關的策略與計畫時，應是著重學習與發現，而非執行。這點非常重要，因爲自認清楚市場未來趨勢的經理人，其思考模式不同於已認清新興市場之不確定性的經理人。

大多數的經理人都是在延續性科技體系下學習創新，因爲所有既有企業研發的科技都是屬於延續性創新。這些創新的目標市場與客戶是已知的，在此種情況下，有計畫而嚴謹地評估、研發與行銷創新產品不僅是可能的，也是非常重要的。

但是，多數成功企業的優秀經理人所習得的創新管理技巧，完全不適合突破性創新。大多數的行銷人員在校園或職場中，已學到傾聽客戶的技巧，但是不論在理論上或實務上，幾乎沒有人知道如何發現不存在的市場。從教科書上所學到的一切，只適用於延續性創新的分析與決策流程，當必須運用到突破性創新時，就完全失去效用。這些流程需要大量的資訊、準確的財務報酬預估以及詳細的計畫與預算，但是就突破性創新而言，以上數據尚未存在。不當的行銷、投資與管理流程，使得優秀的企業無法為突破性科技創造新市場。

本章將會討論優秀的硬碟產業專家，如何精準地預測延續性科技市場，但卻對於突破性科技新市場一籌莫展。機車與微處理器產業的歷史也有同樣的發展困境。

延續性與突破性市場預測

關於硬碟產業發展的資料從早期開始就非常地完整——因而促成許多極富洞察力的研究。最重要的資料來源是Disk/Trend Report，它是位於加州的Disk/Trend公司所發行的年報，其中列出了全球所有企業所銷售的硬碟款式，從一九七五年至今每年出版一期。它會列出每項產品首次推出的年份與月份、硬碟的性能與相關的元件科技。此外，每一家製造商會與Disk/Trend分享客戶的相關訊息。Disk/Trend的編輯整合這些資料之後，界定出每一個市場區隔，並列出主要的競爭對手。產業的製造商認為這項資料非常有價值，因此非常願意繼續與Disk/Trend共享資料。

圖7.1　首次商業化生產後的四年：延續性與突破性科技

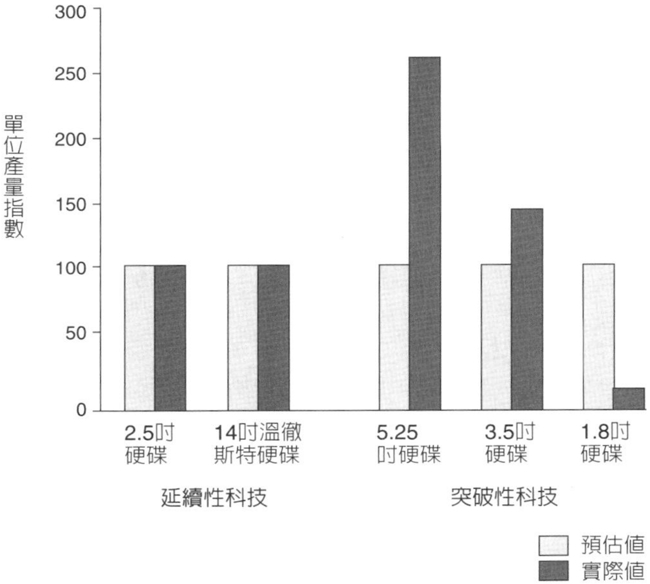

資料來源：Data are from various issues of *Disk/Trend Report*.

每一年，Disk/Trend會公布過去一年每個市場區隔內的實際銷售數量與金額，並預測未來四年的銷售額。因爲累積了過去二十年的資料，因此我們可以測試過去預測的準確性。大致而言，關於既有市場的預測都還算準確，但是突破性科技的預測則有落差。

圖7．1比較了新硬碟架構商業化後，未來四年的預估出貨量與實際出貨量。爲了方便比較，所有產品的預估出貨量統一爲一百，而實際出貨值則以其占預估值的百分比表示。Disk/Trend預測了五項新產品架構，其中十四吋溫徹斯底硬碟與二．五吋硬碟是延續性科技，其所銷售的價值

網絡與先前的硬碟產品相同。另外三項產品：五・二五吋、三・五吋與一・八吋都是突破性科技，並因此創造了新的價值網絡。

Disk/Trend對於二・五吋與十四吋硬碟的預測與實際銷售情形幾乎是完全符合，其誤差率分別爲八%與七%。但是五・二五吋硬碟的誤差是二六三%、三・五吋硬碟則爲三五%，一・八吋硬碟爲五五〇%。誤差最大的一・八吋硬碟也是第一代主要市場爲非電腦的硬碟產品。

Disk/Trend人員採用針對延續性科技預測的方式預估突破性科技：訪談重要客戶、產業專家、趨勢分析家、經濟專家等，但是適用延續性科技的方法明顯不適合於突破性科技。

惠普的新市場開發

延續性科技與突破性科技預測的不同，嚴重影響了惠普一・三吋硬碟產品的推出。①一九九一年，惠普位在愛德華州的硬碟記憶事業部（Disk Memory Division, DMD）創造了六億美元的盈收，同年母公司的盈收爲二百億美元。當年此事業部的一群員工研發出容量有二〇MB的一・三吋硬碟，他們暱稱爲Kittyhawk。這對惠普來說是非常重大的科技突破：之前硬碟記憶事業部所開發的最小硬碟是三・五吋，而且是產業最後推出三・五吋硬碟的公司之一。Kittyhawk對公司來說是一次大躍進——也代表了惠普想要爭取產業領導地位的企圖心。

爲了使這項產品符合大型企業的成長需求，惠普的主管指示相關部門三年內要創造一億五千萬美元的盈收。巧合的是，需要此種小型硬碟的市場正好出現：PDA（個人數位助理）。Kittyhawk的支持者在研究市場預測後，相信他們可以達成以上的獲利目標。他們詢問一家市調公司，更加確信Kittyhawk這項商品可以獲得成功。

惠普的行銷人員與幾家大型企業的資深主管關係都不錯，例如摩托羅拉、ATT、IBM、蘋果電腦、英特爾、NCR與惠普本身，還包括許多較小型的創業公司。多數企業都認爲個人數位助理的市場非常有潛力。許多產品的設計都符合Kittyhawk的特色，而Kittyhawk的設計也反映了這些客戶的需求。

Kittyhawk研發小組認爲開發符合這些客戶需求的產品是非常需要，而且就技術面而言並不困難。因此他們花了一年的時間研發這種小型硬碟，結果如圖7．2。他們所研發的第一代產品容量爲二〇MB，一年後又推出第二代產品，容量爲四〇MB。爲了符合個人數位助理與電子筆記型電腦的防震需求，Kittyhawk安裝有撞擊感應器（impact sensor），與汽車的氣囊防破感應器類似，可以承受三呎高的垂直掉落衝擊，也不會流失資料。每單位售價爲二五〇美元。

雖然Kittyhawk的研發工作依照計畫進行，但是應用市場的開發並非如此順利。個人數

圖7.2 惠普研發的Kittyhawk硬碟

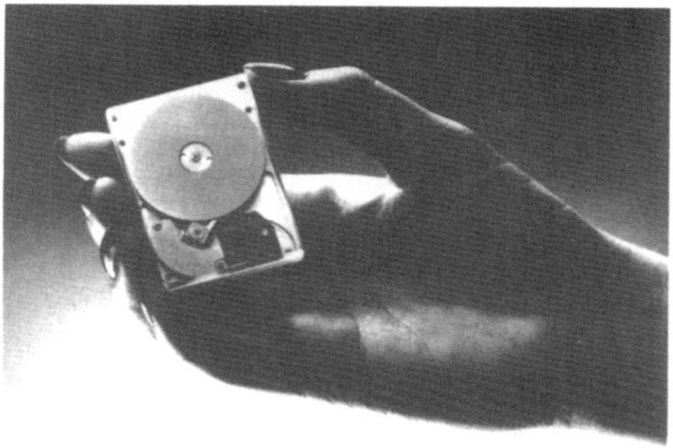

資料來源：ewlett-Packard Company. Used by permission.

位助理的市場並未如預期般地具體化，這樣的結果讓許多先前惠普所諮詢的產業專家感到驚訝不已。在前兩年，Kittyhawk的銷售量只是先前預測的一小部分。這樣的銷售量也許滿足了創業公司與創投家，但是惠普的管理階層卻極度不滿，因爲這樣的數據遠低於當初的預期，也不足以支持硬碟事業部的成長與獲利所需。更令人驚訝的是，大多數的銷售並非來自電腦廠商，主要的客戶是來自日本手提式文字處理機、微型收銀機、電子相機與工業用掃描機廠商，並非當初預期的目標市場。

更令人感到挫折的是，就在Kittyhawk推出第二年，許多製造電視遊樂器的廠商希望大量購買Kittyhawk——若惠普可生產低價版本。這些公司已經觀察Kittyhawk兩年，但是他們認爲必須再花些時間思考，如何應用如此小的儲存裝置。

惠普原先對Kittyhawk的定位爲符合手提電腦市場的延續性科技。但是就其重要的特色而言——小體積、輕重量、低電力耗損與防震——與二．五吋或一．八吋硬碟相較，Kittyhawk已經具備許多不連續的改革。容量是其唯一的缺點（惠普已經盡可能地提高容量）。而遊戲廠商希望大量購買的產品就屬於眞正的突破性科技產品：價格低於五〇美元、功能有限，一〇MB的容量是最適合的。

不幸的是，因爲惠普爲其硬碟設計了符合個人數位助理市場所需的高階性能，他們並未將其視爲突破性產品，因此無法符合電視遊戲器廠商的價格需求。管理階層以個人數位助理爲目標市場，因此沒有多餘的耐心與金錢重新設計更簡單、可以簡化一．三吋硬碟功能的產品以符合新的應用市場．最後惠普在一九九四年退出市場。

惠普的經理人事後檢討，認爲最大的錯誤是以爲他們對於市場的預測是正確的。他們花費大筆的金額進行關於個人數位助理的市場預測，並依據預測結果設計產品特色，如防震感應器等對於個人數位助理相當重要的產品特色。這對於延續性科技的成功非常重要，但是這些經理人卻事後發現，以上的做法對於像Kittyhawk的突破性產品根本無效。如果能重新來過，他們會假設沒有人知道客戶是誰，也沒有人知道銷售量會是多少。這樣在產品的設計與製造能力的投資上，才能有更大的嘗試空間與彈性；如果還有機會，他們會預留足夠的資源以便在必要的時候做出調整，並在不斷地嘗試與學習中修正產品的設計。

惠普的硬碟製造商當然不是唯一一家自認爲知道突破性科技市場的公司，不妨思考一下以下的案例。

本田入侵北美機車市場

本田成功地入侵與主導北美與歐洲機車市場的歷史，已樹立了明確策略思考與積極而連貫的執行流程的典範。本田依據經驗曲線設定了周全的生產策略：降低價格、設定產量、降低成本、再降低價格、再降低成本，就是這樣不斷學習的結果，最後在機車市場中確立了低成本量產製造定位。本田隨後依據此基礎轉往高階市場，最後擊敗所有的既有機車製造商，只有哈雷（Harley-Davidson）和寶馬（BMW）倖免於難。②本田有體貼的產品設計、動人的廣告以及便利而綿密的經銷／零售網絡，專門服務非正式的機車族，這些人是本田的核心客戶群。本田的成功是明智的策略制定與卓越的執行能力所創造的成果，爲許多經理人所津津樂道。但是由當時主導計畫的員工口中，卻道出了不同的故事情節。③

在日本戰後重建的貧困期，本田還是個製造小型而耐用的輕型機車廠商，主要客戶是位在人口密集的都市經銷商與零售商，他們運用輕型機車運送貨品給當地的客戶。本田擅長爲這些機車設計小型而省電的引擎。在日本市場的銷售量從一九四九年的一千二百台，增加爲一九五九年的二十八萬五千台。

本田的主管希望利用公司的低勞工成本將輕型機車銷售到北美地區，但是當地沒有適合的市場。本田的研究人員認爲，美國人使用機車的主要目的是長途運輸，體積、馬力與速度是最大的考量。因此，工程師特地爲北美市場計了速度快、馬力強的機車，他們在一九五九年時派出三位員工前往洛杉磯負責行銷工作。爲了節省生活費用，三人共同分租一間公寓，每人配備有一台超級盃（Supercub）輕型機車做爲交通工具。

這趟旅程從一開始就是令人深感挫折的一次經驗。本田的產品除了成本外，對於潛在客戶沒有任何的吸引力，而且大多數的零售商拒絕接受未獲得市場考驗的產品線。後來，終於找到數家經銷商，銷售數百台機車，但是結果仍是讓人沮喪不已。本田的產品無法在高速公路上行駛，因爲輕型機車無法高速行駛長程路途，油箱會漏油，離合器會迅速耗損。而本田保證空運退換產品的措施也讓公司大量失血。

某個星期六，本田一位負責北美投資的主管川島先生（Kihachiro Kawashima）決定騎著超級盃到洛杉磯東部的小山丘上發洩心中的挫折。果然有效，他在泥地裡來回地飆車後感覺好多了。幾個星期之後，他又回到原地尋求解脫。最後他邀請他兩位同事一起到山丘上。附近的鄰居和其他人看到他們在山丘上呼嘯地來回騎著，便爭著要購買這台輕型機車，這三個人特別爲這些人從日本訂購。這種越野賽車的風潮持續了數年之久。之後有一位Sears的買主想要爲公司的戶外動力設備部門訂購超級盃，但是本田對這次的機會不予理會，他們把主力放在銷售大型、馬力強的長程機車，但是這項策略一直未獲得成功。

最後，愈來愈多人購買超級盃並加入越野賽車的行列，這是本田的美國團隊未曾預料到的結果。也許未曾開發的越野賽車市場是超級盃最適合的市場，這是非常意外的發現。人經過激烈的爭吵與衝突，最後還是說服了日本的管理階層，相信大型機車的策略是失敗的，另一個完全不同的新市場才是他們應該去開發的。

一旦小型機車策略被採用之後，三人小組卻發現要經銷商接受超級盃比大型機車更加困難。因爲沒有任何一家經銷商銷售過這種小型機車。最後，本田說服了幾家運動產品經銷商接受這項產品，當他們的促銷獲得初步成功後，本田的創新性經銷策略也就此誕生。

初期本田沒有足夠的經費製作大型廣告。一位UCLA大學的學生和朋友常常參加越野賽車，他想出了一句廣告：「你可以騎著本田的車遇到最好的人。」這是他在廣告課的論文中寫下的一句話。因爲老師的鼓勵，他把這個點子賣給廣告代理商，代理商便說服本田運用這句話做爲廣告詞，最後這個廣告更因此而獲獎。當然這一切的成功還包括世界級的設計工程與製造團隊的努力，使得本田在改善產品品質之餘，仍能不斷提升產量並降低價格。

本田的50cc機車在北美市場是一項突破性科技。本田客戶所重視的產品性能使其不同於哈雷、BMW與其他傳統機車廠商所處的既有價值網絡。

以低價成本結構生產出可靠的產品，讓我們想到之前硬碟產業、鋼鐵業、挖掘產業與零售業的例子。之後本田也積極往高階市場發展，在一九七〇年到一九八八年推出一系列馬力更強的機車產品。

在一九六〇年到一九七〇年初期，哈雷也想要在低階市場與本田一較長短，他們購併一家義大利機車製造商（Areomecchania）並推出一系列小引擎（150到300cc）機車。哈雷希望透過在北美的經銷網絡銷售小型機車。雖然本田的製造能力不如哈雷，但是哈雷在小型機車價值網絡中仍吃了敗仗。最主要的問題就在於經銷網站。他們的獲利大部分來自於高階市場，而且許多人認爲小型機車會破壞哈雷在其核心客戶的形象。

回想第二章的內容，在一個既定的價值網絡中，硬碟廠商與其電腦廠商客戶已經發展出類似的經濟模式與成本結構，也決定了什麼類型的事業對他們是有利的。在此我們也看到同樣的情形。在既有的價值網絡中，哈雷經銷商的經濟模式驅使他們偏向哈雷所重視的同一類型事業。這種共存型態使得不論是哈雷或經銷商，都很難轉往低階市場發展。在一九七〇年末期，哈雷放棄低階市場，重新將自己定位在高階市場——這讓我們想起了希捷在硬碟產業的重新定位、電纜挖土機廠商與整合型鋼鐵廠重回高階市場的例子。

有趣的是，本田在預估潛在的北美機車市場上就如同當初對於此市場的理解一樣，也是相當不準確。當他們於一九五九年初進入市場時，預估有一〇%的市場占有率，第一年生產約五十五萬台，而後每年成長五個百分點。到了一九七五年，市場占有率成長爲一六％，年生產量高達五百萬台——有一大部分的應用市場是當初本田所沒料到的。④

英特爾與微處理器

英特爾成立於一九六九年，同年其創辦人發明了金屬氧化製程（metal-on-silicon），生產了全世界第一台DRAM（動態隨機存取記憶體積體電路）；到了一九九五年，它已成爲全球最賺錢的企業。在一九七八年到一九八六年間，因爲日本半導體廠商的入侵，使其DRAM領導地位遭受威脅，但他們隨即轉型成爲全球最重要的微處理器廠商。英特爾是如何辦到的？

英特爾與一家日本計算機廠商簽約共同研發原始微處理器。當計畫終止時，英特爾的工程師說服公司主管向日本廠商購買微處理器的專利權。當時英特爾對於微處理器市場並沒有清楚的策略；他們只是單純地將晶片銷售給需要的客戶。

微處理器首次出現時，對主流廠商來說是一項突破性科技。與一九六〇年大型電腦的中央處理單元所使用的複雜邏輯電路相較，這項產品的功能實在有限。

一九七〇年代，DRAM市場的競爭愈來愈激烈，毛利也愈來愈低，但是微處理器市場的毛利較高，而且競爭較不激烈。英特爾的資源分配系統是依據產品的毛利而定。因此分配系統逐漸將DRAM事業部的投資資本與製造能力轉移至微處理器——這並非是管理階層的決策結果。⑤事實上，英特爾的資深管理人員仍繼續專注於DRAM的開發，但是公司的資源分配系統已逐漸退出這項事業。

英特爾資源分配流程的自主性運作，造成了意想不到的結果。因爲當時很少人理解微處理器市場，明文分析無法提供有效的數據，不足以說服公司轉往微處理器市場發展。例如英特爾的合夥創辦人與董事長葛登．摩爾（Gordon Moore）事後回想道，「當IBM決定採用英特八〇八八微處理器作爲新個人電腦產品的『大腦』時，大家只認爲是一次微不足道的勝利。」⑥即使IBM的個人電腦獲得驚人的成就，英特爾在研發下一代的二八六晶片時，仍未將個人電腦納入五十大應用市場中。⑦

現在回想起來，微處理器與個人電腦確實相當的速配。但是在當時許多潛在的應用市場中，即使像英特爾般優秀的管理團隊，誰也無法預料到哪一個市場會出現？可能創造多少利潤？

既有企業的失測與向下麻木

某些經理人面對突破性科技的回應方式就是更努力工作、更有智慧地計畫。這種方式對延續性科技有效，但是對於突破性科技就不管用了。在面對突破性科技的不確定性時，經理人總是覺得：「專家的預測永遠不正確。」事實上根本就不可能正確預測突破性科技的應用與市場規模。其中一個重要的結論是：因爲突破性科技市場是不可測的，所以企業進入這些市場的策略是錯誤的。

這樣的說法是否符合表6．1的結果：進入新興價值網絡的企業與進入既有價值網絡的企業其未來成功率有明顯的不同。如果市場無法事先預測，以此市場爲目標的企業如何達到成功？的確，當我向管理人員顯示表6．1的結果時，他們對於成功機率的差異感到驚訝不已。但是所有人都認爲這樣的結果不適用他們的情況。這樣的結果違反他們的直覺，他們總認爲創造新市場是風險極高的事業。⑧

失敗的構想與失敗的事業

本章所提到的案例提供了此類謎團的解決方法。構想的失敗與企業的失敗有很大的不同。英特爾原先對於微處理器應用的想法有許多是錯誤的；還好英特爾並沒有將所有的資源投注在錯誤的市場，雖然所謂正確的市場方向仍是未知的。英特爾在尋求微處理器市場時嘗試多次的錯誤，最後仍然成功了。同樣地，本田對於如何進入北美市場的想法也是錯誤的，但是他們並沒有將資源全數投注在大型機車上，當小型機車市場興起時，他們仍有足夠的資源可以調整開發的方向。但是惠普的Kittyhawk小組就沒有那麼幸運了。他們以爲自己找到了正確的策略，爲一個未曾出現的應用市場大量投資於產品設計與製造能力。當最終的應用市場興起時，Kittyhawk已經沒有多餘的資源可以運用。

事實上，研究結果顯示，多數成功的企業投資都會捨棄原有的企業策略，因爲在執行計畫的過程中，可以學習到何者可行、何者不可行。⑨成功與失敗的企業投資的不同點不在於原先計畫的準確與否。猜測正確的策略不是成功的必要因素，重要的是要保留足夠的資源（與值得信任的支持者和投資者保持關係），讓企業有機會嘗試錯誤以找到正確的策略，在找到正確的策略之前便將資源用盡的企業註定會失敗。

失敗的構想與失敗的經理人

但是，多數的個別經理人沒有機會可以一再嘗試錯誤，找出最正確策略。不論對與錯，多數組織的經理人相信他們不容許失敗；如果他們所支持的計畫因爲行銷策略的錯誤而失敗，就會在其職業生涯留下一個污點，影響他們在組織的晉升。失敗是爲突破性科技尋求市場時必經的路程，但是經理人不願犧牲自己的事業生涯，也因此阻礙了既有企業轉往爲這些科技所創造的價值網絡。包爾在其關於資源分配的經典研究中觀察到，「來自市場的壓力，減少了做錯事的機率與成本。」⑩

包爾的觀察與本書對於硬碟產業的分析結果相同。當創新的需求非常明確時，例如延續性創新，既有企業就可以投注大筆金額、時間與風險開發所有需要的技術。當需求不是很明確時，如突破性科技，既有企業就不願投資研發這些科技創新。這是爲何進入硬碟產業的企業，有六五%選擇進入既有市場而非新興市場。爲新興科技發掘市場必須承受可能失敗的風險，多數的個別決策者不願冒險支持一項具有失敗風險、市場仍不存在的計畫。

計畫學習與計畫執行

正因爲尋求新市場會有失敗的風險，所以經理人必須採取與延續性科技不同的做法。一般而言，如果是延續性科技，在採取行動之前必須先行計畫，事先預測有一定的準確度，客戶的資訊也是可靠的。仔細的規畫與積極的行動，是在延續性科技創新上取得成功的必要途徑。

但是就突破性科技而言，在仔細規畫之前必須先採取行動。在應用市場與規模都是未知的情況下，計畫的目的不同：計畫是爲了學習而非執行。經營突破性事業時，要謹記你無法預知市場在哪，經理人必須辨認何種與新市場相關的訊息是必須要知道的，需求的優先順序爲何。專案規畫與營運計畫可以反映這些優先順序，如此一來在投入大量的資本、時間與金錢之前，重要的資訊就會產生，或是重要的不確定性也可獲得化解。

發現導向的計畫（discovery-driven planning）可以協助經理人確認他們的營運計畫或努

力所依據的假設爲何，這對於開發突破性科技創新非常有效。[11]就惠普的Kittyhawk硬碟的例子而言，他們與Citizen Watch Company共同投注了大筆的資源，建立了一條自動化生產線。他們所依據的假設是相信自己對於銷售量的預測是準確的，這是依據惠普客戶對於個人數位助理銷售的預估而得。如果惠普的經理人假設沒有人知道個人數位助理的銷售量是多少，他們必定會建立小型的生產模組，而非單一的高產量生產線。當重要的事件確認或否定他們的假設時，就有修正與轉換的空間。

同樣地，Kittyhawk產品研發計畫也是依據同樣的假設，這項產品的主要市場在於個人數位助理，必須有極佳的耐震性。依據這項假設，Kittyhawk的研發小組努力地改善元件與產品架構，使得產品價格過高，無法吸引位在低階市場、對價格敏感的電視遊戲器廠商。發現導向的計畫可要求研發小組在投資之前，先行測試其假設，以免轉換成本過高——在這種情況下，應該建立模組化的設計，可以很輕易地重新設計和改變規格，以測試不同的市場與價格點，不斷地測試自己假設的有效性。

目標管理（management by objective）或是例外管理（management by exception）等概念都會阻礙企業發現新市場。當表現不如預期時，這些系統促使管理階層努力彌補計畫與實際情況之間的落差。他們會專注在意料之外的失敗。但是就本田在北美機車市場的例子而言，突破性科技市場均源自於意想不到的成功，而這些都是資深管理階層不曾注意到的方向[12]。

這樣的發現都是從觀察他人如何使用產品而得，而不是只聽別人怎麼說。

我將這種爲突破性科技尋求新興市場的方法稱爲「不可知行銷」（agnostic marketing），這種行銷方式所依據的假設是，沒有人——不是我們也不是客戶——知道突破性科技產品是否會被使用、如何使用以及銷售數量，除非他們親身體驗過。某些經理人在面對不確定性時，寧願等候有人定義市場之後再行動。然而，先進者占有優勢，因此經理人必須走出實驗室，擺脫目標團體研究，透過發現導向計畫，直接深入市場以創造新客戶與新應用相關的知識。

註釋：

①請參考："Hewlett-Packard: The Flight of the Kittyhawk," Harvard Business School, Case No. 9-697-060, 1996。

②與本田相關的研究還包括哈佛商學院案例研究："A Note on the Motorcycle Industry-1975," No. 9-578-210。另一篇是由波士頓顧問集團所發表的報告："Strategy Alternatives for the British Motorcycle Industry," 1975。

③請參考：Richard Pascale and E. Tatum Christiansen, "Honda (A)," Harvard Business School, Teaching Case No. 9-384-050, 1984。

④Statistical Abstract of the United States (Washington, D. C.: United States Bureau of the Census, 1980), 648。

⑤請參考：Robert A. Burgelman, "Fading Memories: A Process Theory of Strategic Business Exit in Dynamic Environment," Administrative Science Quarterly (39), 1994, 24-56。此篇文章詳細地分析了策略流程的演進，頗

值得一讀。

⑥請參考：George W. Cogan and Robert A. Burgelman, "Intel Corporation (A): The DRAM Decision." Stanford Business School, Case PS-BP-256。

⑦Robert A. Burgelman, "Fading Memories: A Process Theory of Strategic Business Exit in Dynamic Environments," Administrative Science Quarterly (39), 1994。

⑧研究經理人如何定義與認知風險，即可解開其中的迷惑。例如，卡尼曼（Daniel Kahneman）和提夫斯基（Amos Tversky）指出，人們傾向於將自己所不了解的事情視爲高風險，與事情本身的風險無關；對於自己所了解的事情視爲低風險，也與本有風險無關。請參考：Amos Tversky and Daniel Kahneman, "Judgement Under Uncertainty: Heuristic and Biases," Science (185), 1974, 1124-1131。因此經理人會將創造新市場視爲高風險（事實證明並非如此），因爲他們不了解不存在的市場；同樣地，他們認爲投資延續性科技是安全的（雖然本有風險高），因爲他們了解市場所需。

⑨請參考：Myra M. Hart, Founding Resource Choices: Influences and Effects, DBA thesis, Harvard University Graduate School of Business Administration, 1995: Amar Bhide, "How Entrepreneurs Craft Strategies that Work," Harvard Business Review, March-April, 1994, 150-163: Amar Bhide, "Bootstrap Finance: The Art of Start-Ups," Harvard Business Review, November-December 1992, 109-118: "Hewlett-Packard's Kittyhawk," Harvard Business School, Case No. 9-697-060: "Vallourec's Venture into Metal Injection Molding," Harvard Business School, Case No. 9-697-001。

⑩請參考：Joseph Bower, Managing the Resource Allocation Process (Homewood, IL: Richard D. Irwin, 1970),

254。

⑪請參考：Rita G. McGrath and Ian C. MacMillan, "Discovery-Driven Planning," Harvard Business Review, July-August, 1995, 4-12。

⑫請參考：Peter F. Drucker, Innovation and Entrepreneurship (New York: Harper & Row, 1985)。在第九章我會詳述軟體製造商Intuit如何發現許多購買其Quicken財務管理軟體的客戶，事實上是用來爲自己的小型企業記帳。Intuit之前並未想到這個應用市場，然而稍後他們也修正了自己的產品，使其更貼近小型企業的需求；此外還推出Quickenbooks軟體，在兩年之內，在小型企業會計軟體市場上的占有率高達七〇%。

第八章

如何評估企業的能力與不利條件

為了持續不斷地成功，優秀經理人不但必須精通為工作挑選、訓練和激勵適當人選，也必須擅長為工作挑選、打造並準備適當的組織。

經理人指派員工處理關鍵創新時，會憑直覺將個別負責者的能力，與工作要求條件搭配。評估員工是否有能力順利執行某項工作時，經理人會評量員工是否具有必備知識、判斷力、技能、洞察力和行動力。經理人也會評量員工的價值觀——也就是員工依據什麼標準，決定自己該做什麼、不該做什麼。事實上，能讓員工適才適所、並訓練員工具備順利完成交辦工作的能力，就是傑出經理人的優良保證。

遺憾的是，有些經理人並未嚴謹思考所屬組織是否有能力成功執行交辦工作。他們常以爲，如果負責個別專案者具有完成工作的必備能力，那麼所屬組織也有能力獲致成功，但事實通常不是那樣。我們可以把兩個能力相當的團隊，放在兩個不同組織內工作，結果兩個團隊的工作成效或許就有顯著差異。這是因爲組織本身也具有能力，而且這項能力跟組織成員及組織內部其他資源無關。爲了持續不斷地成功，優秀經理人不但必須精通爲適當工作挑選、訓練和激勵適當人選，也必須擅長爲工作挑選、打造並準備適當的組織。

本章旨在說明支持第五章、第六章及第七章所提實證觀察之理論——尤其是「唯有創造能與組織規模和機會大小相符的獨立組織，企業才能成功地解決突破性科技」這項觀察。近十年內，組織具備「核心能力」（core competency）的概念相當盛行。①但在實務上，大多數經理人發現這項概念模糊不清，有些人認爲「能力」可做爲支持各種令人迷惑創新提案的佐證。本章將提出一項架構，協助經理人了解在面臨必要改變時，所掌管組織是否有能力因應未來的挑戰，也讓大家對核心能力概念有更精確的理解。

組織能力架構

組織能力受到三種內在因素影響：資源、流程、以及價值觀。組織可能及不可能順利完成哪種創新？經理人可以針對這項問題，把答案區分爲上述三類，以便對組織能力具備更多的了解。②

資源

在促成組織能做什麼、不能做什麼的三項因素中，資源是最明顯的因素。資源包括人員、設備、技術、產品設計、品牌、資訊、現金、以及與供應商、配銷商和顧客之間的關係。通常，資源是指「事物」或「資產」——是能被雇用和開除，購買與銷售、降價和加價的東西。通常，資源比流程和價值觀更容易在組織之間轉移。難怪，取得優良品質的豐沛資源，就能提高組織因應改變的勝算。

經理人評估所屬組織能否成功落實眼前的改變時，最容易仰賴直覺確認組織資源。不過資源分析顯然無法充分說明組織能力。事實上，我們可以將相同資源分配給兩個不同的組織，由這些資源所產生的結果可能截然不同——因爲將投入資源轉爲更有價值產品與服務的能力，存在於組織流程和組織價值觀之中。

流程

當員工將投入資源——人員、設備、技術、產品設計、品牌、資訊、精力和現金——轉移成更具價值的產品與服務時，組織就創造出價值。員工在完成這些轉變時所透過的互動、協調、溝通和決策等模式就是「流程」。③流程不只包括製造流程，還包括產品開發、採購、市場調查、預算、規劃、員工發展與薪資、以及資源分配等事項所完成的流程。

流程不但依據本身意圖而不同，也因爲能見度而不同。有些流程是「正式流程」，就某方面來說，這些流程有清楚定義，有可見的記錄，讓大家有意識地遵循。其他流程是「非正式流程」，是經過時間演變而成的慣例或工作方式，人們只是因爲這樣做奏效——或因爲「在這裡大家都這樣做」——所以依循這種非正式流程。事實證明，還有其他工作方式和互動方法相當有效，所以讓人自然而然地遵照這些方式——這就構成組織文化。不管是正式流程、非正式流程或文化流程，流程定義組織如何將上述各種投入資源，轉變爲更有價值之物。

實際上，流程被定義或演變爲「處理特定工作」。也就是說，經理人運用流程完成既定及可能有效執行的工作。但是若把看似有效率的相同流程，用於處理截然不同的工作，就可能出現遲緩、官僚作風和缺乏效率的情況。換句話說，界定某項流程有能力執行特定工作，同時也界定此流程沒有能力執行其他工作。[4]優秀經理人在組織裡努力尋求應專注的焦點，正因爲流程和工作可以輕易搭配合作。[5]

管理的兩難困境之一，是爲了讓員工一再運用一致性方式完成重複工作，才制定流程的。爲了確保一致性，也就表示不要改變——或者有必要改變時，也必須透過嚴格控管的程序進行改變。這表示組織賴以創造價值的整個機制，本來就不利於改變。

審視組織能力或不利條件時，某些最關鍵流程並非跟運籌、開發、製造和顧客服務有關且顯而易見的附加價值流程，這些關鍵流程反而是支持投資決策的授權流程或背景流程。如同我們在第七章所見，讓優秀企業無法因應改變的流程，通常是那些界定如何依據慣例完成市場調查、這類分析如何解讀成財務預測、計畫與預算如何協調、這些數字如何達成等諸如此類的流程。一般說來，這些無法變通的流程就是許多組織因應改變時，最爲嚴重的不利條件。

價值觀

影響組織能否完成工作的第三項因素是「價值觀」。組織決定優先事項時所依據的標準，就是組織的價值觀。有些企業價值觀以道德語氣陳述，例如：嬌生用於指導決策確保病患福利的企業價值觀，或是美鋁公司（Alcoa）用於支配工廠安全相關決策的企業價值觀。但是在資源——流程——價值觀（簡稱RPV）架構中，價值觀具有更廣泛的意義。組織價值觀是員工排列決策優先順序的標準——也是他們判斷訂單是否值得注意、某位顧客是否更重要或更不重要、某項新產品構想是否值得注意或不太重要等事項的標準。各階層員工都必須將決定依重要性排序。主管階層要做的決定通常是：是否投資新產品、新服務和新流程。業務人員要做的決定包括：把哪些產品推銷給顧客、哪些產品不必太強調等日常決定。

企業規模愈大、愈錯綜複雜時，資深經理人訓練各階層員工依據策略方向與企業經營模式，自行決定優先順序這件事就更爲重要。事實上，評量優秀管理階層的其中一項關鍵，就是這種清楚一致的價值觀是否遍及公司內部。⑥

不過，清楚一致也廣爲了解的價值觀，同樣也界定出組織不能做什麼。基於必要，企業價值觀必須反映本身的成本結構或經營模式，因為這兩者界定出為了讓企業賺錢，員工必須遵守的規則。舉例來說，如果依據企業經常開支的成本結構要求，企業必須達到四〇%的毛利率，那麼具有效力的價值觀或決策規定就應發展成：鼓勵中階經理人否決毛利率可能低於四〇%的構想。也就是說，這類組織無法順利完成以低利潤市場為目標的商品化專案。同時，在截然不同成本架構的驅使下，另一個組織的價值觀就可能促使或加速同樣專案的成功。

通常，成功企業的價值觀至少會在兩個層面出現預期發展。第一個層面與可接受的毛利率有關。當企業為了在本身市場頂級階層掌握更多有利顧客，所以在產品與服務上增加一些特性與機能時，通常也會增加經常開支的成本。結果，原本相當有利的毛利率，後來似乎變得無利可圖。本身的價值觀也改變了。舉例來說，豐田汽車公司以Corona車款進入北美市場——這項產品以最低價位市場為目標。由於市場入門款市場區隔競爭激烈，日產（Nissan）、本田（Honda）和馬自達（Mazda）等車商推出的車款也都很類似，低價車款相互競爭導致利潤下跌。豐田汽車公司決定開發更精巧的車款，以高價位市場為目標，藉此改善本身利潤。豐田汽車公司陸續推出的Corolla、Camry、Previa、Avalon和Lexus等車系，就是為了因應同樣的競爭壓力——公司藉由移往高價位市場以維持健全利潤。在這個過程中，豐田汽車公司必須增加營運成本，進行設計、製造並支援高價車款。同時，該公司在改變成本結構之際發現，本身在低價位市場的利潤不具吸引力，所以逐漸降低對低價位市場的重視。

在第四章中描述Nucor這家在高價位市場稱霸的小煉鋼廠，與大煉鋼廠競爭的經過。同樣地，紐可鋼鐵公司也經歷價值觀的改變。當公司把高價位市場產品線的重心從鋼棒轉移到角鋼、鋼樑、最後轉移到鋼板時，公司也開始斷然降低對於鋼條的重視——早期幾年這項產品一直是公司賴以維生的寄託。

價值觀出現預期改變的第二個層面，則與企業爲了展現魅力必須保持多大的規模有關。由於股價代表企業預估盈餘傾向的折現值，通常大多數經理人覺得有必要維持成長，也不得不維持一定的成長率。資本額四千萬美元的企業要獲得二五％的成長，隔年就必須從新事業中獲取一千萬美元。資本額爲四百億美元的企業要獲得二五％的成長，隔年就要從新事業中獲取一百億美元。解決這些企業成長需求的市場機會大小截然不同。如同第六章所述，讓小公司興奮不已的機會，根本無法讓大企業感興趣。事實上，成功會帶來苦與樂，其中一項苦果是，隨著企業規模擴大，就可能徹底喪失進入小型新興市場的能力。這項不利條件並非因爲企業內部資源的改變——通常企業擁有龐大資源。眞正的原因在於企業價值觀改變了。

爲達到精簡成本而精心策劃，把原本規模龐大的企業加以合併的企業主管和華爾街金融人士，必須把這些行動對合併後企業價值觀的影響也列入考量。雖然合併後的組織可能擁有更多資源，可投入解決創新問題，但是本身商業化組織可能變成只對最能造成轟動的機會有興趣，其他則興趣缺缺。在管理創新時，龐大規模確實構成一大不利條件。從許多方面來看，惠普正因爲認清此一問題，最近才決定將公司分成兩家企業。

流程與價值的關係及成功處理延續性科技與突破性科技

我在研究企業延續性科技與突破性科技追蹤記錄的差異時，資源——流程——價值觀架構一直是我了解研究發現的實用工具。先前我們在介紹產業史時，確認出一百一十六項新技術，其中有一百一十一項技術爲延續性科技，這些技術影響到硬碟效能的改善。其中有些技術是漸進式的改善，但是像磁阻讀寫頭這類技術，代表效能上出現間斷式的大躍進。在所有一百一十一個延續性科技中，在開發並推出新技術方面領先的企業，就是原先在舊有技術上領先的企業。在開發並採用延續性科技這方面，既有企業的成功率爲一〇〇%。

在這一百一十六項技術中，有五項爲突破性科技——都是比用於主流市場的硬碟速度更慢、容量更少的小型硬碟。這些突破性產品跟新技術無關。不過，在這些突破性創新進入市場後，產業領導企業都無法再維持領先地位——他們的打擊率等於零。

爲什麼既有企業在延續性科技競賽中打擊率百分之百，在突破性科技的競賽中打擊率卻是零，兩者爲何有如此大的差別？答案就在組織能力的資源——流程——價值觀架構中。產業領導企業一再開發並推出延續性科技。月復一月、年復一年，領導企業爲取得競爭優勢而推出新的改良產品，並且開發流程，評估技術潛力並評量顧客對可替代延續性科技的需求。依照本章的說法，組織爲了完成這些事而發展一項能力，這項能力就存在流程中。投資延續性科技也符合領導企業的價值觀，因爲這樣做就能把更優良的產品賣給頂尖顧客，藉此獲得更高的利潤。

從另一方面來看，破壞性創新的發生太斷斷續續，所以沒有哪一家企業爲了處理破壞性創新制定例行流程。而且，由於突破性產品每單位銷售的利潤較低，不適合賣給最佳顧客，所以這些創新跟領導企業的價值觀互相矛盾。在硬碟產業，領導企業擁有在延續性科技和突破性科技獲得成功所需的資源——人員、資金和技術。但是本身的流程和價值觀卻構成不利條件，讓他們無法在突破性科技上勝出。

大企業常放棄新興成長市場，因爲在這類市場中，規模較小的突破性企業確實比較有能力。雖然新創事業缺乏資源，但是沒關係，新創事業的價值觀可以利用小市場，而且他們的成本架構也能配合較低的利潤。他們的市場調查和資源分配流程，允許經理人憑直覺採取行動，不必憑藉審慎研究與分析做簡報佐證。這一切優勢究竟是龐大機會或隱約可見的災難——端視個人洞察力而定。

因此，面臨變革或創新需求的經理人，除了分配適當資源解決變革或創新，還有更多事要做：他們必須確定即將運用資源的組織本身具備成功的能力——而且在做此評估時，經理人必須仔細調查，組織流程與價值觀是否與變革或創新相符。

組織能力的遷移

在組織創始階段，大多數完成事項要歸功於資源——組織本身的人力。幾位重要人士的加入或離去，就可能對組織的成功造成深遠的影響。不過經過一段時日後，組織能力的位置轉移到本身的流程與價值觀。當人們順利合作處理重複性工作，流程就此界定。而且隨著經營模式日漸成形、更清楚哪種類型事業的重要性最高，價值觀也互相結合。事實上，許多具有遠大抱負的新公司仰賴起初推出的當紅產品，股票發行上市後欲振乏力，有部分原因便出在當初成功依靠資源——創立時的工程團隊——但卻無法設計出能製造一連串當紅產品的流程。

艾維德科技（Avid Technology）即為此例。該公司是電視數位編輯系統廠商，擁有從錄影編輯過程中把廣告去除掉的技術。顧客很喜歡這項技術，在這項明星產品的支持下，艾維德科技的股價從一九九三年上市每股十六美元，到一九九五年年中時漲到每股四十九美元。不過，當艾維德科技面臨飽和市場、存貨與應收帳款日漸增加、競爭也愈來愈激烈時，一招半式跑江湖的傾向迅速浮現。顧客喜歡艾維德科技的產品，但是該公司卻缺乏有效流程，無法持續開發新產品並控制品質、交貨和服務，公司因此失誤連連，股價也應聲下跌。

相較之下，麥肯錫顧問公司（McKinsey and Company）這類相當成功的企業，其流程與價值觀已經極具影響力，不管指派什麼人到哪一個團隊都沒關係。每年有幾百名新進企管碩士加入麥肯錫顧問公司，離職人數也差不多這麼多；但是這家公司年復一年，還是能大量製造高品質的工作，因爲本身核心能力已深植於其流程和價值觀，而不是存在於資源中。但我發覺麥肯錫顧問公司的這些能力，也構成本身的不利條件。嚴密分析、數據導向的流程協助該公司在相當穩定的既有市場中爲客戶創造價值，卻也讓公司更無法在多變的科技市場中，在迅速成長企業間建立穩固的客戶群。

在企業流程與企業價值觀的形成階段，企業創辦人的行動與態度具有深遠的影響。通常創辦人對於員工合作以達成決策並將事情完成的方式，有自己的一套見解；同樣地，創辦人也把自己對於組織優先要務的看法灌輸給員工。如果創辦人的做法有瑕疵，公司當然可能失敗。但是如果這些做法有用，員工自己會體驗到創辦人解決問題方法論的效力及決策標準。當員工共同運用這些方法，順利處理重複性的工作，流程就能被界定出來。同樣地，如果公司依據創辦人的優先順序標準，將不同資源運用排序，並在財務方面獲致成功，那麼企業價值觀就開始結合。

當成功企業日趨成熟，員工漸漸認爲自己開始學會接受這種優先順序，也認爲原先順利運用的做事方式和決策方法就是適當的做事之道。一旦組織成員開始依據假定、而非有意識的採用做事方法與決策標準，這些流程和價值觀就會構成組織文化。⑦當企業從幾位員工成長到幾百位和幾千位員工時，要讓所有員工認同必須完成什麼事、應該如何完成並讓適當工作能一再持續地被完成，即使最優秀的經理人也會被這項挑戰給嚇壞。在這些情況下，文化是一項強有力的管理工具。文化能讓員工自動自發採取行動，也能讓他們採取一致的行動。

因此，界定組織能力與不利條件的最有力因素，會依據時間而變遷——從資源轉移到可見可察覺的流程和價值觀，然後再轉移到文化。只要組織繼續面臨本身流程與價值觀預期解決的同類問題，管理組織就相當簡單。但是，由於這些因素也界定出組織不能做什麼，在組織面臨的問題改變時，這些因素就構成不利條件。當組織的能力在人員身上，那麼改變成解決新問題就很容易。但是，當組織的能力在於流程和價值觀，尤其是當組織的能力已嵌入文化中，改變就相當困難。

迪吉多真的有能力在個人電腦業中獲得成功嗎？

從一九六〇年代到一九八〇代，迪吉多是一家相當成功的迷你電腦廠商。一九八〇年代初期個人電腦市場開始合併，或許有人斷言迪吉多的「核心能力」就是製造電腦。但是，如果電腦是迪吉多的能力所在，爲什麼這家公司會在個人電腦市場中受阻？

顯然，迪吉多擁有資源，能在個人電腦市場中獲得成功。但是，該公司的工程師按照慣例，設計出比個人電腦更先進的電腦。迪吉多有豐沛的現金，有絕佳的品牌，也有堅強的技術；但是迪吉多擁有能在個人電腦業中致勝的流程嗎？沒有。設計和製造迷你電腦的流程，牽涉到內部自行設計迷你電腦所用的許多關鍵元件，然後把元件整合成專屬組態。設計流程本身就要花二年到三年的時間，才能設計出一個新產品模組。迪吉多的製造流程必須生產大多數元件，並以批量模式加以組裝，然後公司把迷你電腦直接銷售給企業工程組織。在迷你電腦事業中，這些流程運作得很好。

相較之下，個人電腦事業需要的流程卻是：將最具成本效益的元件外包給全球最佳供應商。由模組元件組合而成的新電腦設計，必須在六個月到十二個月的週期內完成。而且個人電腦必須以一貫作業大量製造，再透過零售商銷售給消費者和企業。但是，在個人電腦業致勝的這些流程，在迪吉多裡都找不到。換句話說，雖然在迪吉多工作的人員都具備設計、製造和銷售電腦獲利的能力，但是他們所任職的組織卻無法這樣做，因爲本身流程一直被設計並發展爲把其他工作做好。讓迪吉多在某個產業中致勝的流程，卻讓該公司無法在另一個產業中勝出。

那麼迪吉多的價值觀呢？由於在迷你電腦業致勝所需的經常開支，讓迪吉多必須採用基本上這樣要求的一套價值觀：「毛利率五〇％以上，就是好生意；毛利率低於四〇％，就不值得做。」管理階層必須確定所有員工依據這項標準爲專案排定優先順序，否則公司就不會賺錢。由於個人電腦的利潤較低，不符合迪吉多的價值觀。於是該公司在進行資源分配流程、排列優先順序時，就會把績效較高的迷你電腦事業排在個人電腦事業之前。而且，迪吉多爲了進入個人電腦業所做的任何嘗試，必須以市場最高利潤階層爲目標——因爲在這些階層賺進的財務成效，才能讓該公司的價值觀認可。但是由於第四章所提的模式——具備低經常開支經營模式的對手，極可能往高價位市場移動——使得迪吉多的價值觀反而讓公司無法推行另一個致勝策略。

如同我們在第五章所見，迪吉多原本可以擁有另一個組織，在個人電腦業競爭並制定所需流程與價值觀。但是在麻州梅納德（Maynard）的這個特殊組織，擁有非凡能力帶領公司在迷你電腦業中如此成功，實際上卻無法在個人電腦界中立足。

創造能力因應改變

如果經理人認定某位員工無法順利完成某項工作，經理人可能會找別人負責這項工作，或訓練員工使其順利完成工作。通常訓練會奏效，因爲個人可以精通幾項工作。

儘管變革管理和再整方案相當盛行，但是流程一點也不像資源那樣容易變通或「可訓練」

——價值觀則更難轉變。讓組織精通元件委外處理的流程，無法同時讓組織精通內部開發和製造元件。讓組織重視高利潤產品的價值觀，無法同時讓組織重視低利潤產品。這就是為什麼聚焦組織表現得比非聚焦組織要好得多，因為聚焦組織的流程和價值觀跟本身必須完成的一組工作密切配合。

基於這些原因，判定組織能力不適合新工作的經理人，在創造新能力時就面臨下列這三種選擇。他們可以：

一、收購一個不同的組織，而其流程與價值觀跟新工作能密切搭配。

二、設法改變現有組織的流程與價值觀。

三、在現有組織中，將一個獨立組織區分出去，由其發展解決新問題所需的新流程與新價值觀。

透過收購創造能力

經理人經常發覺，收購比自行開發（一套能力）更有競爭力，也更合乎財務效益。在因應整合被收購組織的挑戰時，資源——流程——價值觀架構就可能派上用場。收購經理人必須開始提問：「我付了這麼多錢，眞正創造什麼價值？被收購企業的資源——其人員、產品、技術、市場地位等等——眞的值這麼多錢嗎？或者，大部分價值是由被收購企業的流程和價值觀創造出來——意即深植於被收購企業內部，讓其了解顧客、滿足顧客、開發新產品、製造新產品、適時交貨並提供服務的這種獨特工作與決策方式？」

如果被收購企業的流程和價值觀就是本身成功的驅動因素，那麼收購企業經理人千萬不可將被收購企業與收購企業加以整合。整合會讓被收購企業的許多流程與價值觀隨之消失，也會讓被收購企業的經理人必須採用收購企業的經營方式，而且經理人的創新提案也必須依據收購企業的決策標準進行評估。如果被收購企業的流程和價值觀正是本身企業成功的主因，那麼最好的策略，是讓被收購企業獨自運作，母公司（收購企業）只要將資源投入被收購企業的流程和價值觀就好。本質上，這種策略確實是取得新能力的必備要素。

從另一方面來看，如果被收購企業的資源才是收購的主因。那麼，將被收購企業與母公司整合就很有意義——把被收購企業的人員、產品、技術和顧客加入母公司的流程，藉此強化母公司既有能力。

舉例來說，一九九〇年代後期，戴姆勒克萊斯勒（DaimlerChrysler）的合併風險開始浮現，透過資源——流程——價值觀架構能更加了解。這家公司在一九九〇年代的成功主要歸功於本身的流程——尤其是本身既迅速又有創意的產品設計流程，以及本身將次要系統供應商的努力加以整合之流程。對戴姆勒公司來說，要充分利用克萊斯勒汽車公司的能力，怎麼做最好？華爾街股市對管理階層施壓，要兩個組織合併以精簡成本。然而整合兩家公司，卻可能會讓當初克萊斯勒汽車得以被收購的關鍵流程消失殆盡。

這種情況讓人聯想到ＩＢＭ在一九八四年收購Rolm公司。當時，Rolm有的資源ＩＢＭ都有。ＩＢＭ看重的是Rolm開發交換機產品和發現新市場等流程，這才是眞正讓Rolm成功的主因。一九八七年時，ＩＢＭ決定將Rolm跟本身的企業結構徹底整合。於是，ＩＢＭ設法透過本身大企業所磨練出的流程，整合Rolm的資源——其產品與顧客，卻造成Rolm營運不善。而且要讓原本以營運利率一八％的企業主管，注重營運利率不到一○％的產品，根本是不可能的事。ＩＢＭ整合Rolm的決定，其實破壞交易原始的價值來源。我在二○○○年二月撰寫本章內容，當時戴姆勒克萊斯勒向投資者所要求的效率節約的壓力屈服，瀕臨同樣的危機。

看來財務分析師通常對於資源價值的直覺判斷較準確，對流程價值的判斷就差得多。相較之下，思科（Cisco System）的收購流程就進行得很好——因爲其經理人似乎能以適當見解保留資源、流程與價值觀。一九九三年到一九九七年間，思科以收購成立不到兩年的小公司爲主：這些還在初期階段的組織，本身的市值主要仰賴其資源——尤其是工程師和產品。思科擁有明確界定、精心策劃的流程，藉此將這些收購企業的資源與母公司的流程和系統做整合。同時思科也採用一項審愼培育方式，讓被收購企業的工程師對思科的薪資感到滿意。在整合過程中，思科丟棄伴隨收購發生的流程和價值觀——因爲這些並不是思科所欲購進的東西。在某些情況下，思科收購規模較大或較成熟的組織時，就不進行整合，思科在一九九六年收購 StrataCom 時就是這樣。當時，思科反而讓 StrataCom 獨立運作，只是以可觀資源挹注該公司，協助 StrataCom 更迅速成長。[8]

嬌生至少利用三次機會，運用收購在突破性科技的重要風潮上建立地位。嬌生旗下的拋棄式隱形眼鏡、內視鏡手術和糖尿病血糖檢測器等事業，都是在規模還小時就被嬌生收購，收購後也由原事業單位獨立運作，但可以獲得嬌生的資源挹注；現在這些事業都成爲身價十億美元的事業。朗訊科技（Lucent Technologies）和北電（Nortel）爲了掌握破壞本身傳統電話交換設備、以封包交換技術爲基礎的路由器技術潮流，也遵照類似策略。但是兩家公司進行收購作業時爲時已晚，而且他們個別收購的企業恆升通訊（Ascend Communications）和海灣網路（Bay Networks）已與規模更大的思科創造新市場應用設備和數據網路，並且正打算投入語音網路，因而造成收購費用龐大。

在企業內部創造新能力

遺憾的是，依據以往的記錄顯示，設法在既有組織內部開發新能力的企業，成績有好有壞。組合一套強化資源做爲改變既有組織能力的手段，看似相當容易，企業可以雇用具備新技術的人才、可以授權取得技術、可以籌募資金、也能取得產品線、品牌和資訊。然而情況通常只是把這些資源投入到根本沒有改變的流程中——結果也沒有什麼改變。舉例來說，一九七〇年代到一九八〇年間，豐田汽車透過本身在開發、製造和供應鏈等流程的創新，顛覆全球汽車業——而且豐田汽車當時並沒有積極進行資源投資，例如：投資先進製造技術或資訊處理技術。通用汽車爲了因應此事，卻花費將近六百億美元的資金，投資製造資源——購買電腦自動化設備意圖降低成本並改善品質。然而在老舊流程上使用最先進的資源，對於通用汽車的績效一點影響也沒有，因爲該公司最重要的能力在於本身的流程與價值觀。流程和價值觀界定資源如何結合、創造價值，況且許多資源是可以買賣、雇用或開除的。

遺憾的是，基於兩項原因，流程很難被改變。第一項原因是：通常組織爲了加速既有流程的運作而劃定界限，這些界限可阻止跨界限的新流程產生。當新挑戰需要不同人員或團體，採用與以往不同的方式互動時——跟往常所需不同，要在不同時機解決不同挑戰——經理人必須從既有組織中調動相關人員，爲新團體劃定新界限。新團隊界限促使新合作模式的推動，最後必將結合成新流程——意即把投入轉變爲產出的新能力。史蒂芬・惠爾萊特教授（Steven C. Wheelwright）與金姆・克拉克教授（Kim B. Clark）把這些結構稱爲「重量級團隊」。⑨

流程很難改變的第二項原因是：很難發展新流程能力。在某些情況下，經理人根本不想放棄既有流程——以往這些方式都運作得當。同前所述，雖然資源的變通性較高，也可用於各式各樣的情況，但是流程和價值觀卻具有無法變通的本質。流程與價值的存在理由，是以一致的方式重複完成同樣的事。流程本來就不打算改變。

當破壞性變革出現時，經理人必須在改變影響到主流事業前，結合能力對抗變革。換句話說，他們需要擁有一個組織，超越既有組織加速向前因應新挑戰。因爲既有組織的流程只適用於既有經營模式，而目前已經面臨危機，需要徹底改變。

由於流程本身是爲了完成特定工作而設計，所以不可能讓某個流程完成兩件截然不同的事。以第七章提出的實例做說明。適用於在既有市場推出新產品的市場調查與規劃流程，根本無法指引企業進入界定不清的新興市場。而且，企業進入新興市場所嘗試和直觀認定的流程，倘若運用於明確界定的既有事業上，就可能自取滅亡。如果企業必須同時進行這兩種工作，就必須運用截然不同的流程。而且，單一組織很難運用完全不同、完全相反的流程。稍後我們會看到，爲何經理人必須創造不同團隊，在不同團隊中才能定義並重新界定解決新問題的不同流程。

透過子公司創造能力

創造新能力的第三種機制是，透過獨立出去的投資事業獨立經營。目前，許多經理人爲解決網際網路所引起的挑戰，很盛行這種做法。子公司在什麼時候會成爲建立新能力充分利用改變的關鍵步驟？企業又該依據什麼準則管理子公司？當主流組織的價值觀會讓本身無法將資源專注於創新專案時，就需要不同組織的協助。一般來說，大組織無法隨意分配在小型新興市場建立地位所需的關鍵財務資源和人力資源，況且成本結構適合在高價市場競爭的企業，實在很難也在低價市場中獲利。當具威脅性的突破性科技爲了獲利並具競爭實力需要不同的成本結構時，或是現有機會的規模與主流組織的成長需求相比太微不足道時，那麼——也唯有在這種情況下——獨立出去的組織就是解決方案的必備要素。

但這兩個組織之間要有多大的區別才行？首要條件，是專案不能被迫跟主流組織的專案爭奪資源。因爲企業依據價值觀做爲判斷專案優先順序的標準，不符合企業主流價值觀的專案，自然而然會被列爲優先性最低。實體上，獨立組織是否獨立比較不重要。重要的是，獨立組織必須跟原先的資源分配流程無關。

在我們對這項挑戰所做的研究中，從未看過哪一家企業成功處理破壞主流價值觀的改變時，執行長不必親自密切監督——這正是因爲流程與價值觀的力量，尤其是原本資源分配流程的必然性。唯有執行長能保證新組織獲得所需資源，並且可以不受拘束、創造適合因應新挑戰的流程和價值觀。把獨立出去的子公司當成解決破壞性威脅的工具，卻不將此視爲個人要務的執行長，幾乎必定失敗。依我們所見，這項規則沒有例外。

圖8．1概述的架構能協助經理人在可能的情況下，充分利用存在於既有流程的能力，

圖 8.1　創新需求與組織能力的搭配

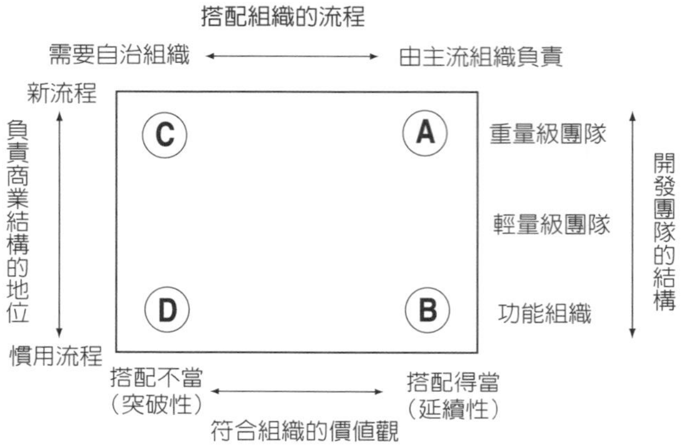

註：左軸與右軸反映出經理人必須對既有情況提出的問題。右側註解代表對左側情況所做的適當反應。上方註解代表對經理人回答下軸問題所做的適當反應。

並在現有組織無法處理情況時，創造新能力。圖8．1左軸評量既有流程——目前組織所用的互動、溝通、協調與決策的模式——可以有效地完成新工作的程度。如果答案是「可以」（靠近左軸下方），那麼專案經理就能利用組織既有流程與結構獲得成功。如同右軸對應部位所述，惠特萊爾和克拉克所說的功能團隊或輕量級團隊，就是利用既有能力的有利結構。[10]在這類團隊裡，專案經理的角色是讓功能組織內部的協調工作更容易進行。

另一方面來看，如果主流事業的做事方式與決策方法，會阻礙而非推動新團隊的工作進展——因爲現在跟往常不同，不同人士之間在不同時機討論不同主題——這時候就必須採用重量型團隊。重量級團隊是創造新流程——構成新能力的新合作方式——的工具。在這類團隊中，成員不只代表所屬功能的利益與技能，也表現得像總經理那樣負起責任，爲專案的利益達成決定並做出權衡得失。通常，他們爲專案全心奉獻並位於同一地點。

圖８．１的橫軸要求經理人評量組織的價值觀是否能將成功所需資源，分配給新提案。如果搭配不當（突破性搭配），那麼主流組織的價值觀就會將專案列爲優先性低。因此爲了成功，就必須設立一個自治組織，自行開發與商品化。不過，在搭配得宜（延續搭配）的情況下，經理人就能將主流組織的精力與資源做結合支持專案的進行。在這種情況下，就沒有必要設立專案機構或獨立組織。

圖８．１中的Ａ區描述經理人面臨一項突破，不過這是符合組織價值觀的延續性科技變革。但是在這種情況下，組織必須解決不同型態的問題，因此在團隊與個人之間，需要新型態的互動與協調。經理人需要重量級開發團隊處理新工作，不過還是可以在主流企業中執行專案。克萊斯勒、禮來（Eli Lilly）和美敦利（Medtronic）就是利用這種方式，徹底加速本身的產品開發週期。[11]ＩＢＭ硬碟事業部也運用重量級團隊這項組織機制，學習如何在本身的產品設計中更有效地整合元件，以便從本身使用的元件中，增加五〇％的績效。微軟開發並推出自己的網路瀏覽器專案，就屬於這項架構中的Ａ區。微軟這項專案代表艱難、非凡的管理成效，需要不同人員以不同於以往的模式合作。但是對微軟來說，這是一項延續性科

技。顧客想要這項產品，而且這項產品也能強化微軟的整合經營模式。因此，微軟沒必要把這項專案獨立出去設立截然不同的組織。

在圖8．1的B區，專案與企業流程和價值觀相符，只要採用輕量級開發團隊就能成功。在這類團隊中，跨功能界限的協調就在主流組織內發生。

C區表示經理人面臨一項突破性科技變革，而且這項變革與組織既有流程和價值觀不符。爲了保證在這種情況下勝出，經理人應該創造自治組織，委託重量級開發團隊，處理這項挑戰。除了在第五章、第六章和第七章提到的例子外，許多企業努力解決由網際網路造成的配銷通路衝突，這類企業就該運用這種方式。舉例來說，一九九九年時，康柏電腦（Compaq Computer）推出一項事業，透過網路直接銷售電腦給消費者，讓公司能更有效地跟戴爾電腦（Dell Computer）競爭。幾週內，零售商就高聲抗議，要康柏電腦撤銷這項策略。這樣做就是破壞康柏電腦及其零售商原本的價值觀或獲利模式。妥善處理這項衝突的唯一方式，是透過獨立企業推動直銷事業。爲了應付公司與零售商之間的緊張關係，康柏電腦甚至需要推出不同的品牌因應。

沃爾瑪百貨（Wal-Mart）透過矽谷某家獨立組織管理線上零售業務，有些人認爲這項策略有勇無謀，因爲這家獨立出去的組織無法充分利用沃爾瑪百貨非凡的物流管理流程和基礎設施。不過依據圖8．1，我相信這項策略很明智。線上投資事業確實需要跟本身實體運作截然不同的物流流程。沃爾瑪百貨的物流作業是由卡車運送貨物，但是線上零售商需要從存貨中挑選個別品項，再裝成小包裹運送至不同地點。這項投資事業不但破壞沃爾瑪百貨的價值觀，也需要創造自己的物流流程，所以必須獨立出去。

D區代表專案的產品或服務跟主流組織的產品或服務類似，必須以較低的經常開支經營模式銷售。沃爾瑪百貨的山姆會員商店（Sam's Clubs）就屬於這個區域。事實上，這樣做可以充分利用母公司類似的物流管理流程，不過預算、管理和盈虧責任則與母公司不同。

功能團隊與輕量級團隊是利用既有能力的適當工具，而重量級團隊卻是創造新能力的工具。同樣地，獨立出去的組織則是建立新價值觀的工具。遺憾的是，大多數企業運用一體適用的組織策略，無論計畫規模與特質爲何，都以輕量級團隊處理。在接受「重量級團隊」信念的極少數企業中，大多試圖以重量級作風組織所有開發團隊。理想上，各企業應依據各專案所需流程與價值觀，調整團隊結構與組織所在地。

從許多方面來看，突破性科技模式是一項相對論，因爲對某家企業具突破性的事項，可能對另一家企業具有延續性的影響。舉例來說，戴爾電腦當初是透過電話銷售電腦起家。對戴爾電腦來說，開始透過網路推銷電腦，這項提案是延續性的創新。這樣做協助該公司在已有結構中賺更多錢。不過對康柏電腦、惠普和IBM來說，透過網路直接銷售電腦給顧客，將會造成強大破壞性影響。同樣的情況也出現在證券交易業。對於主要透過電話下單的

Ameritrade和嘉信理財（Charles Schwab）等折扣券商，透過網路下單能幫助公司更具成本效益——甚至提供與先前能力相關的加強服務。但是對於委託營業員下單，提供全方位服務的美林證券（Merrill Lynch）來說，線上交易代表的是一項具破壞性的強大威脅。

結論

組織面臨改變的經理人首先必須判斷自己是否擁有成功所需的資源，然後必須提出一個截然不同的問題：組織具備能成功的流程和價值觀嗎？對大多數經理來說，因爲進行工作所採用的流程和員工做決策時所依據的價值觀向來運作得當，所以他們不會憑直覺提出第二個問題。不過，我希望經理人把這項架構列入考量，因爲所屬組織的能力也界定出組織的不利條件。花一點時間找出這項問題的眞正答案，絕對值得。在組織裡以往慣用的工作流程適用於處理這項新問題嗎？組織的價值觀會讓這項提案取得較高的優先性？還是會被棄之不顧？

如果這些問題的答案是否定的，那也沒關係。要解決問題，最關鍵的步驟就是先了解問題。處理問題時不以事實爲依據、用一廂情願的想法，反而會讓負責開發創新與執行創新的團隊遭遇一連串的阻礙、批判和挫折。通常對既存企業來說，創新似乎很難，因爲他們雇用人才、安排人才依循流程與價值觀做事，然而這些流程和價值觀本來就不是爲促成順利完成手邊工作而設計。所以在我們所處的時代，當因應加速變革的能力變得更加重要，確定能把人才安插到具備能力的組織，就是管理階層必須負起的重責大任。

註釋：

①普哈拉（C. K. Prahalad）與蓋瑞・哈默爾（Gary Hamel）於一九九〇年《哈佛商業評論》（Harvard Business Review）撰文〈企業的核心能力〉（The Core Competence of the Corporation）。

②這些構想大多源自於哈佛商學院於一九九三年至一九九九年所舉辦的企業政策研討會中，跟博士班學生所進行的精彩討論。我在此向這些學生致謝，也特別感謝唐・蘇爾（Don Sull）、湯姆・艾森曼（Tom Eisenmann）、村山卓朗（Tomoyoshi Noda）、邁克・雷諾爾（Michael Raynor）、麥克・羅伯托（Michael Roberto）、戴博拉・索爾（Deborah Sole）、克拉克・吉伯特（Clark Gilbert）和麥可・歐佛多夫（Michael Overdorf）對這些構想的貢獻。

③大衛・賈文（David Garvin）在一九九八年夏季號《史隆管理評論》（Sloan Management Review）發表的〈組織與管理的流程〉（The Process of Organization and Management），是我們見過對流程做出最合邏輯、最完整的特性描述。我們使用「流程」一詞時，指的是賈文定義的所有流程類型。

④桃樂西・李奧巴頓（Dorothy Leonard-Barton）於一九九二年《策略管理期刊》（Strategic Management Journal）撰文〈核心能力與核心僵化：管理新產品開發之矛盾〉（Core Capabilities and Core Rigidities: A Paradox in Managing New Product Development）, p.111-125。依我所見，李奧巴頓教授在這項主題的研究，為後續研究奠定可依據的重要典範。

⑤魏克漢・史奇納（Wickham Skinner）於一九七四年《哈佛商業評論》撰文〈焦點式工廠〉（The Focused Factory）。

⑥湯瑪斯・畢德士（Thomas Peters）與羅伯特・華特曼（Robert Waterman）的合著《追求卓越》（In Search of Excellence）。

⑦愛德格・夏恩（Edgar Schein）的著作《組織文化與領導》（Organizational Culture and Leadership）。在此對組織文化發展的描述，大多引述自夏恩的研究。

⑧妮可・泰比斯特（Nicole Tempest）於一九九八年在史丹佛大學商學所及哈佛商學院共同發表的教學個案〈思科系統公司：收購後的製造整合〉（Cisco System, Inc. Post-Acquisition Manufacturing Integration）。

⑨史蒂芬・惠爾萊特（Steven C. Wheelwright）與金姆・克拉克（Kim B. Clark）之合著《改革產品開發》（Revolutionizing Product Development）。

⑩惠爾萊特與克拉克於一九九二年春季號第三十四期《加州管理評論》（California Management Review）撰文〈組織與頂尖重量級開發團隊〉（Organizing and Leading Heavyweight Development Teams）、p.9-28。這篇論文中描述的概念相當重要。我們強力推薦對這些問題有興趣的經理人，一定要看過整篇論文。惠爾萊特和克拉克把重量級團隊定義爲所有成員位於同一地點、並全心奉獻。每位團隊成員的責任並非代表團隊功能團體，而是扮演總經理的角色——爲整個專案的成功負責，也主動參與來自各功能領域成員的決策與工作。當他們共同合作完成專案之際，也會找出新方法進行互動、協調與決策，組成新企業成功發展所需的新流程或新能力。隨著新事業或新產品線的成長，這些完成工作的方式就制度化。

⑪傑夫・戴爾（Jeff Dyer）於一九九六年七／八月號《哈佛商業評論》撰文〈克萊斯勒如何創造一個美國企業集

團〉（How Chrysler Created an American Keiretsu），p.42-56。克雷頓・克利斯坦森（Clayton M. Christensen）於哈佛商學院發表的個案第698-004號，〈有心跳了！-美敦利的心臟節律器事業〉（We've Got Rhythm! Medtronic Corporation's Cardiac Pacemaker Business）。惠爾萊特於哈佛商學院發表的個案第699-016號，〈禮來：鈣穩定專案〉（Eli Lilly: The Evista Project）。

第九章

性能供給與市場需求

科技所能提供的性能提升速度往往超過市場真正需求或可負擔的提升速度。通常當性能過度供給的情形發生時，突破性科技便有機會興起並入侵既有市場。

本書所顯示的科技與市場軌道相交圖，可以有效解釋爲何領導企業會喪失產業的領導地位。在本書所提到的不同產業中，科技所能提供的性能提升速度往往超過市場眞正需求或可負擔的提升速度。通常當性能過度供給（performance oversupply）的情形發生時，突破性科技便有機會興起並入侵既有市場。

除了爲突破性科技創造機會外，也會對產品市場的競爭基礎帶來變化：客戶選擇產品依據的標準將會改變，也代表了產品生命週期將從一個階段轉變至下一階段。換句話說，性能供給與需求軌道產生交集是引發產品生命週期轉移的重要因素。因此本書所運用的軌道圖可明顯地看出產業的競爭動態與競爭基礎如何隨著時間發生變化。

按照往例，本章先從硬碟發展史開始，說明當性能供給超出市場需求時所發生的情況。

在觀察過會計軟體與糖尿病治療產品的發展後，這種模式與產品生命週期之間的關連就更爲清楚了。

性能過度供給與競爭改變

性能過度供給的現象如圖9．1，這是由圖1．7所節錄而出。在一九八八年，三．五吋硬碟的平均容量終於趕上主流的桌上型個人電腦市場的需求，而五．二五吋硬碟的平均容量則超出了主流市場需求約三百個百分點。就在此時，也是自桌上型市場出現以來，電腦製造商第一次可以有兩種選擇：五．二五吋硬碟與三．五吋硬碟，兩者都提供了足夠的容量。

結果如何?桌上型個人電腦製造商開始轉向三．五吋硬碟。圖9．2運用了替換曲線模式（substitution curve format），垂直軸顯示新科技與舊科技產品的銷售比。在一九八五年，比值爲○．○○七，這表示不到百分之一（○．○○六九）的桌上型市場轉移至三．五吋硬碟。至一九八七年，比值增爲○．二○，表示三．五吋硬碟占總銷售量的一六．七%。到了一九八九年，比值爲一．五，就在三．五吋硬碟推出後四年，占硬碟總銷售量的六○%。

爲何三．五吋硬碟可以如此快速地攻占桌上型個人電腦?一個標準的經濟理由是三．五吋硬碟代表更爲經濟的產品架構：如果兩種產品類型沒有重大的差異（兩者均有適合的容量），價格競爭就會更形強化。但是硬碟產業的情況卻非如此。平均而言，電腦製造商如果

圖 9.1　硬碟容量需求與容量供給的交叉軌道

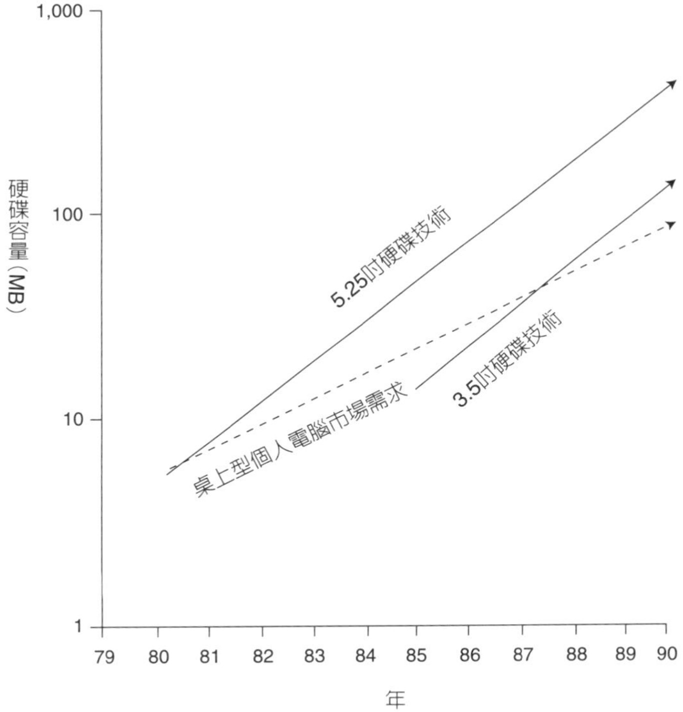

資料來源：Data are form various issues of *Disk/Trend Report*.

運用三・五吋硬碟，每百萬位元組的成本必須高出二〇%。但電腦製造商在面對自有產品市場的激烈價格戰時，卻傾向選擇成本較高的硬碟產品。爲什麼？

性能過度供給引發了競爭基礎的改變。當容量需求獲得滿足，其餘仍未滿足市場需求的產品屬性就會變得更有更有價值，這些屬性正是廠商爲建立產品差異化的依據。就概念上而言，這表示如圖1・8垂直軸所代表的最

圖9.2　30MB～80MB的8吋、5.25吋、3.5吋硬碟的替換

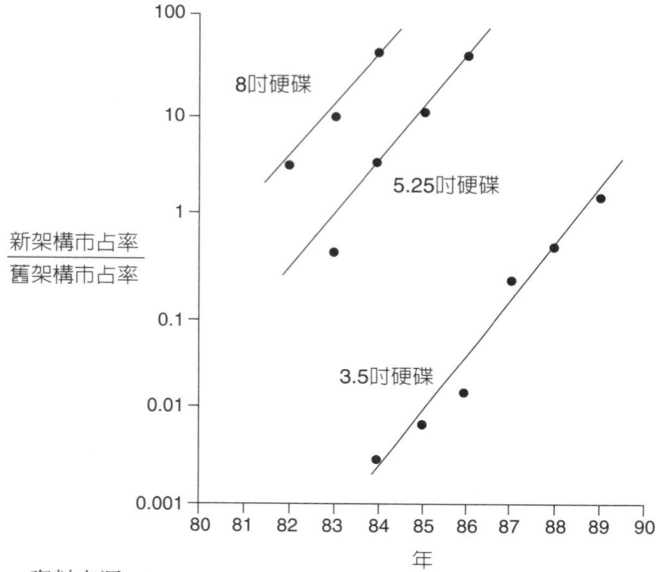

資料來源：Data are form various issues of *Disk/Trend Report*.

重要產品屬性改變了，新的產品性能提升軌道也開始形成。

在一九八六年到一九八八年的桌上型個人電腦市場，硬碟的小體積已經超越其他特色成爲客戶最重要的考量。小體積的三．五吋硬碟可使電腦製造商縮減機器的尺寸。例如，在IBM，大型的XT/AT電腦最後就讓位給更小的PS1/PS2電腦。

當小型硬碟的性能無法滿足市場需求時，桌上型電腦製造商仍持續爲三．五吋硬碟支付高額的溢價。事實上如果我們運用第四章的快樂回歸分析法，一台硬碟的單位立方英吋遞減（one-cubic-inch reduction）的影子價格爲四．七二美元。但是當電腦製造商重新修正自己

的電腦產品以符合更小體積的硬碟時，他們對於小體積的需求即獲得滿足。因此到了一九八九年，單位立方英吋遞減的影子價格或是溢價降爲〇．〇六美元。

一般而言，一旦特定的性能屬性需求獲得滿足，客戶就比較沒有意願爲這項屬性的後續性能提升支付較高的溢價。因此，性能過度供給引發了競爭基礎的改變，而客戶選擇產品的標準也轉向市場需求仍未獲得滿足的性能屬性上。

圖9．3顯示了桌上型個人電腦的發展情形：垂直軸所衡量的屬性不斷地產生變動。容量的性能過度供給第一次重新定義了垂直軸：從容量轉變爲實體尺寸。當新面向的性能滿足了市場的需求，垂直軸的性能定義就會再次轉變爲對於可靠性的需求。此時可提供優越的防震性與平均故障時間（mean time between failures）的產品即具有較高的溢價。但是當平均故障時間價值達到一百萬小時，①平均故障時間若提升一百小時，其影子價格則爲零，這代表產品性能已過度供給。目前仍處於價格競爭階段，毛利率約在一二％左右。

一項產品何時可成爲商品？

硬碟的商業化流程可由市場需求與科技提供之間的交互作用看出。在一九八八年時，五．二五吋硬碟在桌上型市場已成了價格導向商品（price-driven commodity），而三．五吋硬碟仍具有一定的溢價。此外，五．二五吋硬碟雖然在桌上型應用市場以商品價格售出，但

圖 9.3　硬碟產業競爭基礎的改變

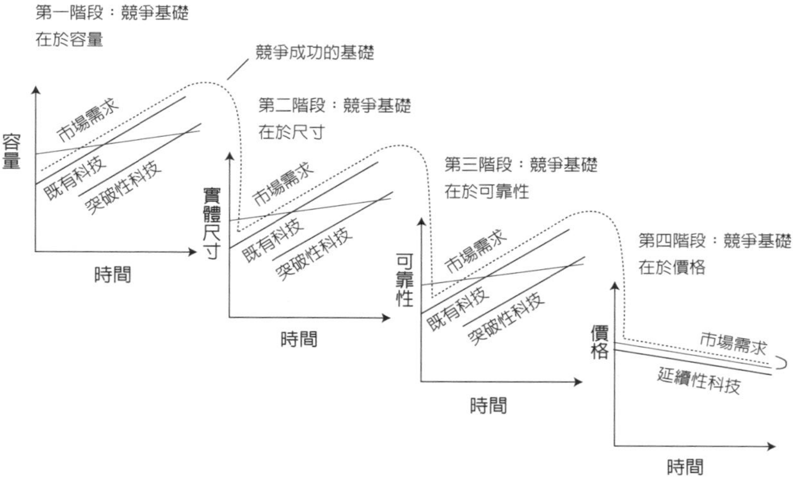

是相對於八吋硬碟，其在高階市場的價格仍然偏高。如第四章所述，這可以解釋既有企業爲何轉往高階市場發展。

當競爭的基礎不斷地發生變化，當市場對於性能屬性的需求已經可以從一個以上的產品獲得滿足，這項產品便會在一特定市場區隔裡成爲商品。性能過度供給的架構可以協助顧問、經理人與學者，看穿銷售人員在與客戶協商價格的過程中所發出的抱怨，「這些蠢蛋竟把我們的產品視爲一般商品。他們難到看不出來我們的產品比其他對手要好得多嗎？」也許市場上的競爭對手會持續加強產品的差異性，但是當產品特色與功能超出市場需求之後，差異化就失去意義了。

性能過度供給與產品競爭演進

許多行銷文獻都有詳細論述關於產品生命週期以及產品特色的長期演變。②本書的研究顯示，性能過度供給是驅使產品生命週期轉移的最主要因素。

我們不妨先討論其中一種產品演進模式，也就是所謂的購買層級（buying hierarchy），它是由位在加州舊金山的溫德米爾協會（Windermere Associates）所提出，其中有四個階段：功能性（Functionality）、可靠性（Reliability）、便利性（Convenience）與價格（Price）。剛開始，沒有一項產品可滿足市場對功能性的需求，競爭的基礎或是客戶選擇產品的標準在於產品的功能性（有時候，在硬碟產業裡，同一個市場也許會經歷不同的功能性階段）。當有兩、三項產品滿足市場對功能性的需求，客戶就不再依據功能性做爲選擇產品的標準，而是以可靠性做爲主要考量因素。當市場對可靠性的需求超出供應商可提供的範圍，可靠性最高的產品便能擁有最高的溢價。

但是當兩家以上的供應商所能提供的可靠性超出市場需求，競爭的基礎於是轉向便利性。客戶傾向購買最容易使用的產品。如果市場對於便利性的需求超出供應商所能提供的範圍，客戶便會以此做爲選擇的標準，也願意支付較高的價格購買。最後，當多數供應商提供的產品與服務的便利性均能滿足客戶的需求，競爭的基礎就轉向價格。因此驅使購買層級轉移的因素是性能過度供給。

另一個有效解釋產業演進的觀念是傑佛瑞·墨爾（Geoffery Moore）在其著作《跨越鴻

溝》（Crossing the Chasm）中所提出。③他運用類似的邏輯，不同的是他以使用者的角度而非產品的角度區分各階段。墨爾認爲一項產品最早是由創新者和早期使用者（early adopter）所使用——他們選擇產品的考量因素是產品的功能性。在此階段，功能最強的產品擁有最高的溢價。墨爾認爲，當主流市場的功能性需求獲得滿足，市場規模即開始擴大，供應商即開始針對早期大眾（early majority）客戶對可靠性的需求爲目標。當創新與競爭的基礎轉往便利性，即開始了第三波的成長，這時便以晚期大眾（late majority）客戶爲目標。墨爾的模型概念，在於科技可以提升至產品性能需求獲得滿足的程度。

此種演進模式——功能性、可靠性、便利性與價格——普遍存在於各種市場。事實上，突破性科技的一項特色即是促使競爭基礎的轉變。

突破性科技的共通特色

突破性科技具有兩大特色，這兩項特色會影響產品生命週期與競爭動態的轉變：第一，使得突破性科技不受主流市場重視的性能屬性卻是新興市場最有利的賣點；第二，突破性產品比起既有產品更爲便宜、簡單、可靠與便利。經理人必須明白這些特性，才能在突破性產品的設計、製造與銷售上擬定有效的策略。即使無法預知適合突破性科技的應用市場，經理人仍可依據以下兩項原則下注：

一、突破性科技的缺點正是它的優勢

突破性科技與產業競爭基礎的關係相當複雜。在性能過度供給、產品生命週期與突破性科技興起這三者之間的交互作用中，使得突破性科技在主流市場失去優勢的性能屬性，卻能爲突破性科技在新興市場中建立獨特的價值。

成功開發突破性科技的企業眞正了解新科技的不同特色與能力，因此積極爲新科技尋求新的市場。康能周邊設備爲小型硬碟創造了重視小體積的手提電腦的市場；J. C. Bamford和J. I. Case爲其挖土機產品創造了住宅工程承包商市場，此市場需要小尺寸的鏟斗與機動性高的曳引機；Nucor爲其薄板鑄造鋼板創造了不在乎表面有瑕疵的低價鋼板市場。

相反地，無法成功面對突破性科技的企業，視既有市場需求爲已知，不願行銷主流市場不受重視的科技。因此，希捷的行銷人員將公司的三．五吋硬碟原型展示給ＩＢＭ，而非思考「哪一個市場重視小體積、低容量的硬碟？」當Bucyrus Erie於一九五一年購入Hydohoe液壓挖土機產品線時，經理人並沒有問，「哪一種市場眞正需要只能挖掘狹窄溝壕的移動式挖土機？」相反地，他們假設市場需要最大的鏟斗尺寸與最長的延伸距離；他們爲Hydrohoe裝設電纜、滑輪、離合器與曲軸，希望能銷售給一般挖掘工程承包商。當美國鋼鐵評估連續薄板鑄造技術時，他們並沒有問，「何種市場可以接受表面有瑕疵的低價鋼板？」他們認爲市場需要最高品質的表面光滑度，因此大量投資傳統的鑄造技術，他們以延續性科技的思考方式評估突破性科技。

本書所提到的案例中，既有企業在遭遇突破性科技時，都會認爲科技是其最主要的研發挑戰：必須不斷提升突破性科技的性能以符合已知市場的需求。相反地，已具成功商業化突破性科技的企業則認爲行銷是其最大的挑戰：他們必須找出或創造一個競爭基礎有利於突破性產品屬性的市場。④

面臨突破性科技的經理人必須明白這項原則。如果歷史可提供指引，關起門來開發突破性科技、努力提升性能以符合主流市場的企業，永遠無法贏過爲突破性科技找尋新市場的企業。後者在爲突破性科技建立商業化基礎後，就開始轉往高階市場發展，如此便能有效地進入主流市場。至於將突破性科技視爲一種科技實驗挑戰而非行銷挑戰的企業，最終將被迫退出主流市場。

二、突破性科技比既有科技更為簡單、便宜、可靠與便利

當性能過度供給的情形發生，突破性科技便開始入侵主流市場，突破性科技之所以獲得成功，是因爲就購買層級而言，突破性科技滿足了市場對於功能性的需求，而且比主流產品更簡單、便宜、可靠與便利。我們不妨回顧一下第三章所討論的液壓挖掘技術如何進入主流

下水道市場與一般挖掘市場。當液壓動力挖土機可以舉起二至四立方碼的土石量時（遠超過主流市場的需求），承包商便迅速轉向此一產品，即使電纜引動挖土機每鏟的承載量更大；因爲兩種科技所提供的性能都符合市場所需，承包商便傾向選擇較可靠的產品：液壓挖土機。

既有企業較願意開發高性能、高獲利的產品與市場，因此常爲突破性產品設計過多的特色與功能。惠普在設計一．三吋 Kittyhawk 硬碟的經驗即可提供佐證。因爲無法設計功能簡單與價格便宜的產品，因此 Kittyhawk 的研發人員便將其性能提升到極致，使其防震性和電力耗損方面在延續性科技市場中具有高度競爭力。但是當價格便宜、設計簡單、單一功能的一〇MB 硬碟的應用市場出現，惠普的產品因不具突破性所以無法趕上這波潮流。蘋果電腦在提升牛頓功能時也犯了同樣的錯誤，沒有致力於簡單性與可靠性的提升。

會計軟體市場的性能過度供給

Intuit 是財務管理軟體製造商，它成功地推出了一款個人財務套裝軟體：Quicken。Quicken 因爲簡單和便利，成爲市場上最受歡迎的產品。製造商對於他們的成就感到非常驕傲，多數使用 Quicken 的客戶只要買軟體回家、打開電腦，不需閱讀使用手冊即可開始操作。研發人員不斷地提升產品的容易度與簡易度，他們仔細地觀察使用者的操作情形，而不只是聆聽客戶或專家說他們需要什麼。在觀察客戶使用情形時，他們可以看出造成使用困難或困擾的小地方，然後告訴工程師，請他們朝向更簡單、更便利的設計目標前進，而非盲目地提升產品的功能性。⑤

Intuit在北美小型會計軟體市場的占有率高達七〇%。⑥Intuit在推出Quickbooks時，已是後期進入的廠商。第一，市面上已有的小型企業會計套裝軟體都必須接受專業合格的會計師的指導，並具備基本的會計知識（債務與信用、資產與負債等等），而且採行雙式簿記法（每一筆交易都有查核試算的功能）。第二，既有的套裝軟體都提供了複雜的記錄與分析方法，每推出新的版本，內容就更爲複雜，研發人員希望提供功能更強大的產品以做爲區隔。第三，美國境內的企業有八五%爲小型企業，沒有能力雇用會計師：通常是由企業所有者或家族成員記帳，他們不需要理解主流會計軟體的記帳與或紀錄方法。他們不知道什麼是查核試算，更別提如何運用。

Intuit的創辦人史考特．庫克（Scott Cook）認爲，多數小型企業的所有者都是依據直覺以及對於企業的直觀知識來經營，而非依賴會計報告所提供的資訊。換句話說，庫克認爲小型企業會計軟體廠商所提供的功能已超出市場需求，因此爲突破性軟體科技提供了一個難得的機會。Intuit的Quickbooks將競爭基礎從功能性轉變爲便利性，並在推出的兩年內取得七〇%的市場占有率。⑦事實上，在一九九五年，Quickbooks的盈收已超越Quicken。

既有廠商的回應方式就是轉往高階市場發展，持續推出功能更爲複雜的產品；主要訴求對象爲特定的市場區隔，也就是高階市場的資訊系統使用者。小型企業會計軟體的三大供應商（一九九二年時每家平均有三〇%的市場占有率），其中有一家已經消失，另一家仍在掙扎中。第三家推出了簡化型產品，試圖與Quickbooks一較長短，但是只有極小的市場占有率。

胰島素產品的性能過度供給

另一個明顯的例子是胰島素產業。在一九二二年，多倫多市的四位研究人員成功地從動物的胰臟內萃取出胰島素、然後注入人體內以治療糖尿病。因爲胰島素是取自於母牛與豬的胰臟，因此純度的提升決定了性能提升軌道。雜質含量從一九二五年的五萬ppm降到一九五〇年的一萬ppm，再到一九八〇年的十ppm，這項成就是由全球胰島素領導廠商禮來所創造的。

儘管純度提升不少，但是動物胰島素與人體胰島素仍有些許的差異，所以少數糖尿病患者的免疫系統會因此產生抗體。因此一九七八年，禮來利用基因科技更改細菌基因，使得胰島素蛋白質的結構符合人體的胰島素蛋白質，而且純度高達百分之百。這項計畫獲得空前的成功，禮來在投資十億美元之後，在一九八〇年代末期推出了名爲Humulin的胰島素產品，價格比起動物胰島素萃取物高出二五%，它是生化科技產業第一個達到商業規模的消費產品。

然而市場對於此項生化科技奇蹟的回應非常冷淡。禮來發現很難繼續與動物性胰島素保持一定的價差，此外Humulin的銷售量也讓人相當失望。禮來的一位研究員提到，「現在回想起來，市場對於豬胰島素並沒有任何的不滿。事實上，他們還覺得非常高興。」⑧禮來花費大筆的資本與組織能量不斷地提升純度，卻超出了市場的需求。同樣地，當差異化產品因為其性能超出市場需求，便無法維持一定的溢價。

同時期，一家名為Novo的小型丹麥胰島素廠商，正在研發胰島素筆，可以更方便地注射胰島素。傳統上，糖尿病患者必須隨身帶著分離的注射器，將針頭插入胰島素玻璃瓶，將活塞向外拉以吸入所需的胰島素量，然後拔出針頭，輕拍針筒數回好除去筒壁的空氣泡。然後再重複一次以上的流程，但是速度要減緩。只有在除去所有殘留的空氣泡後——無可避免地會損失些許的胰島素，才可以開始注射胰島素。這個過程需時一到兩分鐘。

但是Novo的胰島素筆可以容納數星期所需的胰島素注射量，並結合了快速注射與漸進注射兩種類型。使用者只要轉動小型的轉盤到其所需的注射量，然後將針頭插入皮膚內，按下按鈕，整個過程不到十秒鐘。相對於禮來必須辛苦維持其產品溢價，Novo的產品輕易地就能維持三〇%的利潤。一九八〇年代，因為胰島素筆的成功，Novo在全球胰島素市場的占有率迅速提升，獲利也大幅地提高。禮來與Novo的例子再次證明，性能超出市場需求的產品只能有商品層級的價格，但是重新定義競爭基礎的突破性產品卻可享有高額的溢價。

在哈佛企管學院的管理學課堂上與學生討論禮來的案例，是最有趣的教學經驗。多數的學生都責怪禮來忽略了顯而易見的事實——只有小部分的糖尿病患者會對胰島素產生抗體——而且雜質含量十ppm的豬胰島素與純度百分之百的Humulin之間的差異並不明顯。他們也認爲，禮來沒有事先詢問多數的病患與醫生是否需要純度更高的胰島素。

然而在每一次的討論中，總有一些較爲明智的學生明白，事後看來明顯的事實在事件發生當時不一定如此明顯。禮來的行銷人員所諮詢的醫生群當中，誰最具公信力？哪些病人最有可能引起這些專家的興趣？這些主要的客戶在被問及如何提升新一代胰島素產品時，他們最有可能的回答是什麼？主要客戶的力量與影響力是公司產品研發軌道超出主流市場需求的原因。

此外，思慮較爲周延的學生也觀察到，多數的經理人根本不會想到百分之百純度的胰島素產品是否會超出市場需求。對於一家擁有五十年歷史，企業文化穩固的成功企業而言，純度更高即代表更好的產品。研發出更高純度的產品是保持競爭優勢的唯一方法。更高純度是銷人員可以用來吸引忙碌醫療人員的重要法寶。在這種情形下，如何轉變根深蒂固的文化，或是要求主管詢問一個從不需要回答的問題？⑨

圖 9.4　管理競爭基礎的改變

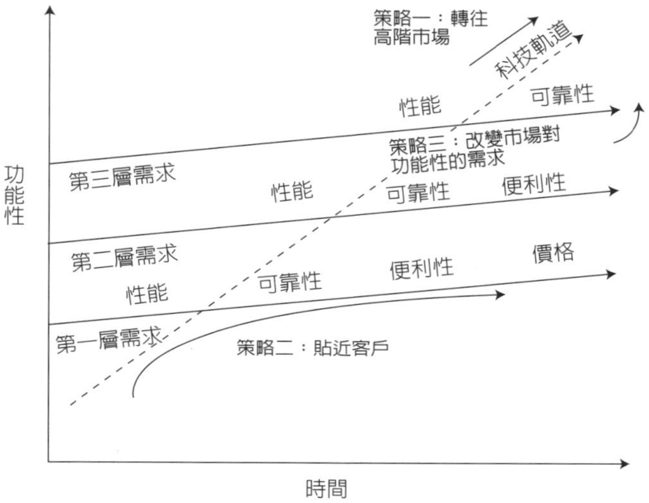

控制產品競爭演進

圖9．4顯示了性能過度供給的模式，其中列出了性能供給超出性能需求的多層市場。每一層市場都是依據特定的演進週期在進步，演進週期的轉變則是因爲產品選擇標準的改變。雖然還有其他表示演進週期的方式，而且所得出的結果也很接近，不過圖9．4引用的是溫德米爾協會所提出的購買層級模式。本章所討論的案例中，促使競爭基礎改變或產品生命週期轉移的都是突破性科技產品。

圖中顯示面臨性能過度供給現象的企業所採取的策略，然而最後的結果都是突破性科技的出現改變了競爭的基礎。最普遍的策略（策略一），也是本書中最常見到的策略，就是提升延續性科技軌道，朝向更高層的市場發展；

當更單純、更便利或是更便宜的突破性科技出現時，就放棄低層的客戶。

第二種策略（策略二），就是緊貼既有市場的客戶需求，並掌握競爭基礎的變化。但是這種策略有其困難度，原因已在前面章節說明過。例如，在個人電腦產業，當桌上型電腦的功能滿足了低層市場的需求，新進企業如戴爾或Gateway 2000就以方便購買與使用的價値定位進入市場。康柏即採取策略二加以回應，他們也開始推出以低階市場爲目標的低價電腦，防止新進企業的入侵。

第三種策略是運用行銷手法，增加市場軌道的斜率，使得客戶對所提供的性能提升產生需求。運用此種策略的前提，是科技軌道的斜率大於市場軌道，當兩者軌道平行，性能過度供給的情形——從某個產品生命週期轉移至一個週期——就不會發生或是延後發生。

某些電腦產業觀察家相信，微軟、英特爾和硬碟廠商都是運用第三種策略。微軟運用自己在產業的主導地位，研發並成功地銷售其套裝軟體，雖然其軟體必須占去大量的硬碟容量空間，需要快速的微處理器才能執行。相較於科技供給的性能提升斜率，他們已增加了客戶需求的功能提升軌道的斜率。這種策略的效用如圖9．5所示，這是硬碟產業的最新情勢（這份圖表是圖1．7軌道圖的一九九六年更新版）。請注意中價位桌上型與筆記型電腦容量需求軌道在一九九〇年代向上轉移，與三．五吋硬碟與二．五吋硬碟廠商的容量供給軌道平行。因此這段期間，這些市場仍未經歷性能過度供給的問題。二．五吋硬碟仍以筆記型電腦

圖9.5　性能需求軌道的改變與突破性科技的延遲影響

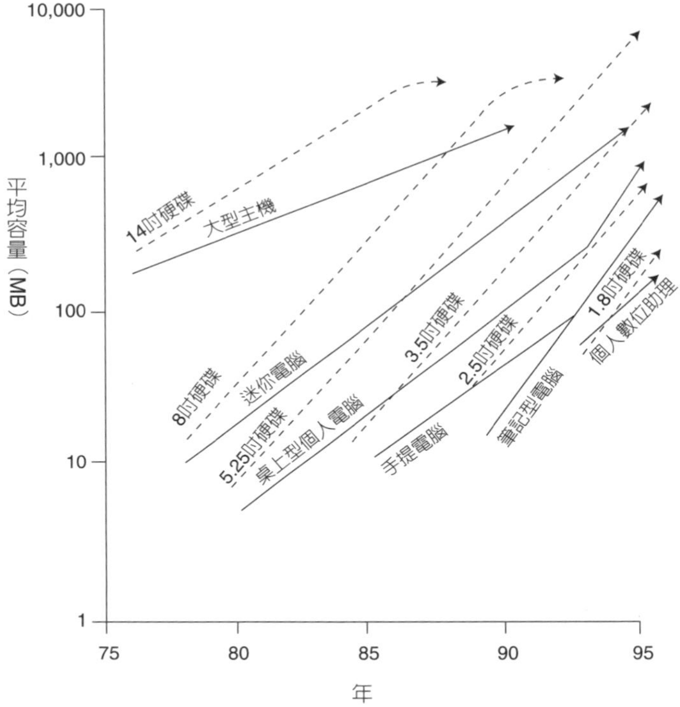

資料來源：An earlier version of this figure was published in Clayton M. Christensen, "The Rigid Disk Drive Industry: A History of Commerical and Technological Turbulence," Business History Review 67, no. 4 (Winter 1993): 559.

市場爲主，因爲桌上型電腦市場的容量需求提升速度過快。三・五吋硬碟仍以桌上型電腦爲主，一・八吋硬碟已開始滲入筆記型電腦。在這種情況下，產品以高階市場爲訴求的廠商，如IBM和希捷，利潤最高，因爲沒有性能過度供給的問題，所以各家廠商莫不積極地轉往高階市場發展。

目前仍不清楚微軟、英特爾與希捷的行銷人員爲其科技供給創造需求的盛況還能持續多久。例如，微軟的Excel試算軟體於一九八七年推出2.1版本時，需要一‧二MB的硬碟容量。在一九九五年推出的5.0版本，需要三二MB的儲存容量。部分產業觀察家相信，如果研發小組實地去觀察一般使用者的運用情形，就會知道功能性已經遠遠超出市場需求。如果眞是如此，突破性科技就有機可趁──小程式（applets）目前已普遍見於網路的應用市場以及簡單的網路電腦，而非全功能電腦。

對與錯的策略

圖9．4所列出的策略何者最好？由此次的研究我們可以說沒有所謂的最佳策略。三種策略只要妥善運用都可以成功。惠普在雷射印表機產品上採取第一種策略，也獲得了極高的成就。在此案例中，此項策略之所以成功，是因爲惠普利用突破性科技攻擊自身原有的市場定位。康柏電腦以及英特爾、微軟和硬碟商也分別成功地運用第二種與第三種策略──至少就目前爲止。

這些成功的實踐者都很清楚地了解──不論是明示或直覺──客戶的需求軌道和科技供給軌道之間的差異。了解這些軌道趨勢是成功的關鍵。但是成功的企業數目實在是少得可憐，多數績優的企業都是在不知不覺中朝向軌道圖的東北方移動，使自己困於競爭基礎的改變而無所適從，任由突破性科技順勢侵入。

註釋：

①在硬碟產業，平均故障時間以百萬小時計，也就是說如果有一百萬台的硬碟同時開啓，並持續運作一個小時，其中會有一台在一小時內故障。

②關於產品生命週期的議題有三篇論文值得參考：Jay W. Forrester, "Industrial Dynamics," Harvard Business Review, July-August, 1958, 9-14: Arch Patton, "Stretch Your Products' Earning Years | Top Management's Stake in the Product Life Cycles," Management Review (38), June, 1959, 67-79; William E. Cox, "Product Life Cycle as Marketing Models," Journal of Business (40), October, 1967, 375。另外關於產品生命週期的概念與實證性問題，請參考：Nariman K. Dhalla and Sonia Yuspeh, "Forget the Product Life Cycle Concept!" Harvard Business Review, January-February, 1976, 102-112; David R. Rink and John E. Swan, "Product Life Cycle Research: A Literature Review," Journal of Business Research, 1979, 219; George S. Day, "The Product Life Cycle: Analysis and Applications Issues," Journal of Marketing (45), Fall, 1981, 60-67; Gerard J. Tellis and C. Merle Crawford, "An Evolutionary Approach to Product Growth Theory," Journal of Marketing (45), Fall, 1981, 125-132。

③請參考：Geoffrey A. Moore, Crossing the Chasm (New York: HarperBusiness, 1991)。

④同樣的情形也發生在手提收音機產品。在一九五〇年代初期，新力的董事長森田（Akio Morita）親自飛到紐約並在一家低價旅館住了下來，就是爲了要向AT&T購買電晶體技術的專利權，這是AT&T科學家於一九四七年所發明的技術。森田發現AT&T態度冷淡，因此一再地親自拜訪AT&T主管，最後終於獲得首肯。一位AT&T的主管事後問森田新力要如何運用這項專利權。森田回答：「我們要研發小型收音機，」「爲什麼所有人

都在談論小型收音機？」這名主管又問道。森田簡短地回答：「我們等著看吧。」數月之後，新力在美國推出了第一台手提電晶體收音機。若與主流市場的收音機性能相較，這款收音機實在是遜多了，眞實度較低，比起當時流行的眞空管桌上收音機有更多雜音。但是森田並沒有關在實驗裡提升產品的性能，使其在主流市場中更具競爭力（這是多數領導電器廠商面對電晶體技術的回應方式）；他重新找到符合電晶體特有屬性的市場——手提個人收音機。毫無意外地，桌上收音機的領導廠商都沒有在手提收音機市場中取得領導地位，最終不得不退出市場（這段歷史是由Sheldon Weining轉述給我，他曾擔任新力的製造與科技事業的董事長）。

⑤請參考：John Case, "Customer Service: The Last World," Inc. Magazine, April, 1991, 1-5。

⑥這段內容的資料由庫克（Intuit的創辦人與董事長）與傑．歐康納（Jay O'Connor；Quickbooks行銷經理）所提供。

⑦庫克後來提到，在設計簡單而便利的會計軟體時，公司的研發人員體認到：雙式簿記會計系統原先是由威尼斯商人所發明，當初是爲了查出計算的錯誤。之後就被許多會計軟體所沿用——即使電腦不會在加減乘除上犯錯。Intuit將這項功能移除以簡化其產品設計。

⑧請參考：："Eli Lilly & Co.: Innovation in Diabetes Care," Harvard Business School, Case No. 9-696-077。雖然禮來無法在Humulin胰島素上獲取高額的利潤，但是這項投資仍爲他們帶來不少的效益。因爲紅肉消費下降，使得胰臟供應短缺，但是Humulin讓禮來絲毫不受影響，禮來因此在生化藥物的製造上獲得寶貴的經驗與資產基礎。

⑨當這種少數意見在課堂上被提出後，許多學生就會認知到這些世上最成功的大型企業所開發的技術遠超過主流市場的需求。例如，英特爾一直以性能圖的垂直軸來衡量微處理的速度。他們認定，市場需要更快的微處理器，而他們的數十億美元的收入更加證明了他們的信仰。確實有部分利基市場的客戶需要200、400、甚至

800MHz的微處理器。但是主流市場又是如何？有沒有可能某一天英特爾的微處理器的速度與成本超過市場的需求？如果性能過度供給是可能的，英特爾的上千名員工要是觀察出發生的時機，他們又是否能夠接受產業的改變，修正自己科技研發的軌道？辨識科技過度供給已是非常的困難，對此採取行動更是難上加難。

第十章

突破性科技案例研究

我採用了特殊的案例研究模式，假設自己是一家主要汽車製造商的主管，負責主導一項最具突破性創新的計畫：電動汽車。我的目的不是要對這項特殊的挑戰提出任何所謂的正確解答，最重要的是希望真實呈現經理人在面對相似問題時如何建構自己的思維，而後導出有效的答案。

在本書接近尾聲之際，我們仍有必要進一步了解爲何績優企業會失敗。喪失競爭力、科層制、自大、疲累的主管、不適當的規畫與短視都是導致失敗的主因。但是就本書所見，優秀的經理人也是企業面對突破性科技失敗的原因。當優秀的經理人無法了解或是試圖抵抗這些力量時，就會犯錯。

本章我將運用先前提出的原則，說明經理人如何成功地因應突破性科技。我採用了特殊的案例研究模式，假設自己是一家主要汽車製造商的主管，負責主導一項最具突破性創新的計畫：電動汽車。我的目的不是要對這項特殊的挑戰提出任何所謂的正確解答，也不預測電動汽車未來是否成功。最重要的是希望提供一個類似的體系，眞實呈現經理人在面對類似問題時如何建構自己的思維，如何設定一連串的問題，而後導出有效的答案。

如何辨識突破性科技？

電動汽車在一九九〇年代初期有機會成爲主流設計，但是最後仍輸給汽油汽車。關於電動汽車的研究自一九七〇年代起開始增加，但是決策者仍將其視爲降低城市空氣污染的一種工具。加州空氣資源局（California Air Resources Board, CARB）動員所有的人力與物力，強行規定自一九九八年開始，所有的汽車製造商在加州境內的總銷售量中有二％必須是電動汽車，否則禁止銷售任何一台汽車。①

在我假設的情境裡，我所採取的第一步驟就是自問以下的問題：我們對電動汽車的重視程度應是多少？除了法令規定外，電動汽車對汽油汽車廠商造成實質上的突破性威脅嗎？它是否具備獲利潛力？

爲了回答以上的問題，我必須了解市場需求與科技供給的性能提升軌道；換句話說，我必須畫出如圖1．7或9．5的電動汽車軌道圖。這份圖表是協助我辨認突破性科技的最好方法。

製作圖表的第一步是定義現有的主流市場需求，然後與現有的電動汽車性能供給做比較。爲了得知市場的需求，我必須仔細觀察客戶的使用情形，不能只聽他們怎麼說。觀察客戶實際使用狀況比起口頭上的訪談更能提供可靠的資訊。②依據觀察所得，目前的汽車使用者需要的最小續駛距離（cruising range，不需要再次加油可行駛的距離）必須是一百二十五到一百五十哩；電動汽車的續駛距離只有五十到八十哩。同樣地，駕駛人希望從〇到六十哩的加速時間不超過十秒（這是最低時限，使汽車能安全地從高速公路入口匝道進入高速車流），電動汽車卻需時二十秒。主流市場的購買者需要多樣選擇，而電動汽車廠商卻因爲產量低，因此無法提供多樣的選擇。③如果依據圖表的垂直軸所使用的功能性定義，電動汽車劣於汽油汽車。

但是以上的資訊仍不足以認定電動汽車屬於突破性科技。如果其性能提升軌道某一天會與主流市場的需求產生交集，我們就可以確定它是突破性科技。爲了測驗這項可能性，我們必須畫出市場需求與科技供給的性能提升軌道。如果兩者是平行的，電動汽車就不會在主流市場占有一席之地；如果科技進步的幅度大於市場需求，就具有突破性科技的威脅性。

圖10・1顯示了市場需求的性能提升軌道——不論以加速持間、續駛距離或加速度而言——相對來說較爲平緩。這是因爲交通法令對於汽車馬力的限制，以及人口、經濟和地理的考量，限制了每位駕駛人平均通勤距離的年成長率不到一%。④同時，電動汽車的性能提升速度較快——二%到四%之間——這表示延續性科技的提升可使電動汽車脫離現今無法競爭

圖 10.1　電動汽車

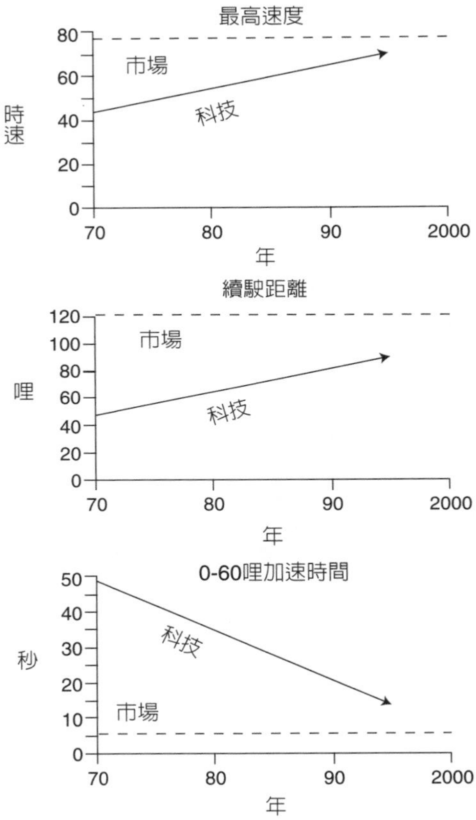

資料來源：Data are from Dr. Paul J. Miller, Senior Energy Fellow, W. Alton Jones Foundation and from numerous articles about electric vehicles.

的主流市場，轉向未來對其較有利的市場。

換句話說，身爲汽車廠商的主管，我會擔憂電動汽車的發展，原因不在於政策面上投資環保科技是正確的，而是在於電動汽車具有突破性科技的特性。他們無法在主流市場競爭；其所提供的產品屬性無法吸引汽油汽車的價值網絡；此外科技提供的性能提升成長率超過市場需求。⑤

但是，就因爲電動汽車不屬於延續性創新，主流廠商自然會質疑市場是否存在——這亦是突破性科技的另一項徵兆。以下是福特汽車一位主任的看法：「Ranger電動汽車的價格大約是三萬美元左右，使用鉛酸電池（lead-acid）使其最小續駛距離可達五十哩……一九九八年對於電動汽車的銷售而言會是極爲困難的一年。因爲不論是在續駛距離、成本或使用上，都不符合客戶的期望。」⑥的確，就現有的性能而言，在主流市場銷售電動汽車就像一九八〇年代將五．二五吋硬碟銷售給大型主機電腦廠商一樣的困難。

在評估軌道圖時，我會仔細地思考以下的問題：電動汽車的性能提升軌道是否會與市場需求軌道相交？產業專家也許會認爲電動汽車的性能永遠比不上汽油汽車，只要比較兩者的提升軌道就可得知：也許他們是對的。但是只要我們回想硬碟產業的發展歷程，就可知道他們的答案雖然是對的，但是問題錯了。我也注意到許多專家以爲：除非電池技術有所突破，否則電動汽車永遠無法爲主流市場所接受。我不贊同這樣的看法。原因何在？如果將電動汽車視爲既有市場價值網絡的延續性科技創新，這樣的想法是正確的。但是這些專家對於突破性科技本質與規模的預測經驗可說是乏善可陳，因此我對於這些專家的質疑也感到很懷疑，雖然我對於自己的結論仍不清楚。

電動汽車的市場何在？

當決定電動汽車屬於突破性科技之後，我的下一個挑戰就是擬定行銷策略，帶領企業爲電動汽車開創新市場。爲了思考行銷策略，我會運用前面所提到的三項原則。

第一，我必須認清電動汽車在初期無法銷售給主流的應用市場。因此我必須確定所有與此計畫相關的人員了解：雖然我們並不知道市場在何處？可以確定的是絕非在既有的汽車市場。諷刺的是，我期待所有的汽車製造商會因爲資源依賴原則以及大型企業的成長與利潤所需，準確而短視地專注在主流市場。我不會跟隨其他汽車製造商的腳步尋找我的客戶，因爲我知道這樣的直覺與能力是被錯誤地培養。⑦

我的任務是找到一個可以應用電動汽車的市場，因爲先行進入突破性科技市場的企業比起後進者占有優勢。當他們在新興市場建立獲利基礎之後，再持續提升突破性科技的性能，以順利進入高階市場。而遠離市場，等待研究人員研發突破性電池技術，是經理人最能接受的方式，但是這項策略應用在突破性科技上是無法成功的。

如同先前我們討論的，使突破性科技在主流市場不具競爭力的產品屬性，卻是新興價値網絡中最受重視的。就硬碟產業而言，五．二五吋硬碟的小體積不適用大型電腦，但卻非常適合桌上型電腦。當液壓挖土機的小尺寸鏟斗承載量和較短的延伸距離，使其在一般挖掘工程市場上毫無用處，但是它可以精確地挖掘狹窄溝壕的能力卻在住宅工程市場上大受歡迎。雖然聽來奇怪，我還是要引導行銷人員爲這種加速緩慢、時速在一百哩以下的電動汽車，找出其需求仍未被發現的買者。

第二，沒有人可以從市場調查中得知電動汽車的初期市場。我可以雇用顧問，但是我唯一可確定的是他們的研究報告有可能是錯的。客戶也無法告訴我，他們是否或知道如何使用電動汽車，因爲當他們知道如何使用的同時，我們也同時知道了——就如同本田的超級盃爲輕型機車開啓了未曾預見的新應用市場。唯一有效的方法就是實際地深入市場，將眞實的產品銷售給眞實的客戶，不斷地嘗試錯誤。⑧有時政府的意外措施常會扭曲而非解決問題，因此我會要求組織必須隨機應變，而非依賴反覆無常的補助或非經濟因素的加州法律來經營事業。

第三點，我的營運計畫必須是以學習爲目的，而非爲了執行一項預先認知的策略。雖然我會盡力開發正確的產品、運用正確的策略進入正確的市場，但是當企業朝向目標邁進時，仍有可能隨時出現更好的策略。因此我必須及時發現自己是錯的，並盡快找到正確的方向。

⑨我不能將所有的資源與企業信用投入非贏即輸的賭注上，就像蘋果電腦的牛頓與惠普的Kittyhawk，我必須保留足夠的資源以進行第二次或第三次的嘗試。

潛在市場的思考

電動汽車的初始市場何在？雖然我們無法預知，但是必定是電動汽車的某些缺點將會成爲其優勢所在。我的一位學生想到高中學生的家長可能是電動汽車的重要市場，他們需要買車接送小孩上下學、參加同學會或學校活動。⑩這些家長認爲設計簡單、加速緩慢、有限的續駛距離正符合他們的需要——尤其當他們想到中學年紀的孩子時。

另一個可能的初始市場是日漸成長、擁擠與空氣污染惡化的東南亞城市的計程車或小型包裹貨車。例如曼谷的街道就像是一個大型停車場，因爲交通擁塞，車子走走停停，時速從未超過三十哩。因爲電動汽車不需高速行駛，所以不會快速耗損電力。小型電動汽車的機動性與方便停車更是重要的優點。

以上的想法不論最後被證明是對是錯，至少符合突破性科技研發與市場形成的方式。

現今的汽車廠商如何行銷電動汽車

以上所述關於找尋與定義電動汽車初始市場的策略，事實上與既有汽車製造商的行銷方式背道而馳，他們仍辛苦地在主流市場推銷電動汽車，這是既有企業在面對突破性科技時慣有的錯誤策略。請仔細閱讀克萊斯勒汽車的銷售總經理威廉・葛羅（William Glaub）在一九九五年談論公司的一九九八年銷售計畫的內容：⑪

> 克萊斯勒正準備於一九九八年推出採用電動引擎的廂型休旅車（minivan）。在審慎考量重新設計與修正既有產品兩者利弊後，最後我們認為利用廂型休旅車做為電動汽車研發基礎是最佳的選擇。過去的經驗告訴我們車隊是最好的銷售管道……我們的問題不在於創造吸引人的配備。新的廂型休旅車已有了非常亮眼的配備，最大的問題是能量儲存容量不足。⑫

爲了在主流市場行銷電動汽車，克萊斯勒必須在迷你休旅車上裝設一千六百磅的電池。如此一來使其加速速更爲緩慢，續駛距離更短，煞車距離比起汽油汽車更長。因爲克萊斯勒的定位策略，產業分析師很自然地與汽油廂型休旅車相互比較，利用主流價值網絡的觀點評估電動汽車。但是電動汽車的成本預估在十萬美元左右（汽油汽車的成本約在二萬二千美元），根本沒有人會考慮購買克萊斯勒的產品。

克萊斯勒的行銷人員對於在加州銷售電動汽車的成績感到極度悲觀，儘管政府的法令規定他們必須這麼做。葛羅繼續說道：

> 市場的發展就是要提供客戶所需的好產品。銷售人員不可能將一項普通的產品推出市場，冀望以此建立長期的客戶關係。客戶不會被強迫購買他們不需要的產品。電動汽車如果

要在市場上占有一席之地，必須比現有的汽油汽車具備更好的性能。⑬

在行銷人員的思考架構下，克萊斯勒的結論無疑是正確的。⑭突破性科技興起的初期，其客戶絕非是主流市場的使用者。

產品、科技與通路策略

突破性創新的產品研發

引導工程師設計電動汽車的確是一項大挑戰，這是典型的雞生蛋、蛋生雞的問題：因爲市場不存在，就沒有明顯或可靠的客戶訊息；沒有訴諸於客戶需求的產品就沒有市場。我們如何在此種眞空狀態下設計產品？還好本書所述的原則給了我們些許的幫助。

最重要的原則就是第九章所述，競爭基礎會隨著產品生命週期的轉移而改變，而產品生命週期的轉移則是受到性能過度供給——科技所能供給的性能遠超出市場的實際需求——的現象所驅動。性能過度供給爲更簡單、更便宜、更便利的科技——通常是突破性科技——開啓了一扇大門。

性能過度供給現象也發生在汽車業。汽車實體與引擎大小、○至六十哩的加速度、客戶面對過多選擇的處理能力等，都存在著極限。因此我們可以大膽地預測，產品競爭基礎與客戶選擇基礎會從功能性轉向其他屬性，如可靠性與便利性。這可由過去三十年成功進入北美市場的汽車製造商獲得證明；他們的成功不僅是提供性能優越的產品，而是不斷地提升產品的可靠性與便利性。

例如豐田（Toyota）成功地將其設計簡單、性能可靠的Corona汽車推入美國市場，建立了其在低階市場的地位。之後爲了進入高階市場，豐田不斷地提升性能與產品特性，陸續推出Camry、Previa和Lexus，搶攻先前Saturn和Hyundai所進入的市場底層。Saturn的策略是希望爲客戶提供更可靠與便利的購買方式與駕馭經驗，但是依據最近的報告[15]，他們也開始轉往高階市場，也因此使得更簡單、更便利的產品有進入市場的機會。

因此，電動汽車競賽的致勝設計原則是簡單性與便利性，並找到重視其特有產品屬性的新興價值網路。本書所提到的突破性技都比既有產品更小、更簡單和更便利。每一項產品初期都是使用在重視簡單與便利性的新價值網絡，如體積小而設計簡單的硬碟、桌上型與手提電腦、液壓反鏟挖土機、迷你鋼鐵廠、胰島素注射筆等等。[16]

我會建議設計工程師依據以下三項重點設計產品：

第一，這款汽車必須是簡單、可靠與便利的。例如，可以更快速地充電、使用一般常見的電力服務等，這是不變的科技提升目標。

第二，因爲沒有人知道產品最終市場及使用方法，我們必須設計一個產品平台可以快速、低成本地變更產品特色、性能與風格。例如，電動汽車初期的使用者可能是接送中學生的家長，因此產品的特色與風格必須吸引中學生的注意。雖然我們先以此市場爲目標，但是我們的想法也可能是錯誤的。因此我們必須以小額資本快速設計產品，並保留足夠的資源，以便在市場開始形成並得到正確的回饋之後得以修正產品的設計。⑰

第三，我們必須採取低價策略。突破性科技的標價（sticker price）比起主流市場的產品要低，雖然他們的使用成本較高。爲什麼桌上型電腦不使用更小型的硬碟？這是因爲要符合個人電腦的低單位價格，而小型硬碟的每百萬位元組成本要高於大型硬碟。同樣地，早期液壓挖土機的每單位價格比起既有的電纜引動挖土機要便宜，但是每小時所挖起的每立方碼成本較高。因此我們的電動汽車標價必須低於現有的汽油汽車，即使每哩行駛成本較高，不過客戶會爲了便利性而支付較高的溢價。

突破性創新的科技策略

我們的計畫不應堅持在技術上有全新的突破。事實上，突破性科技並非是全新的科技；他們利用現有的技術組合現有的元件，而後建構在一個新穎的產品架構內，提供過去無法達成的產品屬性。

許多研發電動汽車的主要廠商仍主張，在電動汽車商業化之前必須在電池技術上也有所突破。福特汽車的華勒斯（John R. Wallace）就曾提到：

所謂的兩難在於現有的電池無法滿足客户的需求。任何一位熟悉電池技術的人都會告訴你，電動汽車上市的時間仍未到。一九九八年即將推出的電動汽車其電力不到一百哩的距離（這是客户的需求）。唯一解決的方法就是改善電池技術。為了確保電動汽車成功地商業化，我們必須全力研發電池技術。透過美國高級電池協會（U. S. Advanced Battery consortium）的努力，以及電動汽車利害關係人——如公共事業、電池廠商、環保人士和相關的法規制定者——共同的合作，提升電動汽車的市場性。[18]

克萊斯勒的威廉·葛羅也採取相同的策略：「未來所使用的鉛酸電池所能供應的燃料儲存不到兩加崙的汽油。這就好比每天離家時，『燃料不足』的燈都會亮著；換句話說，電池技術仍未達到應有的水準。」[19]

這些企業認爲電池科技的突破是電動汽車成功的關鍵，其原因在於他們將自己的思考與產品定位在主流市場。對於克萊斯勒來說，這代表新的廂型休旅車；對福特來說，這是電動**Ranger**。在此種狀況下，他們必須爲突破性科技創造延續性創新。他們必須在電池技術上有所突破，因爲他們選擇將電動汽車視爲一項延續性科技。若是選擇將電動汽車視爲突破性科技，電池技術的突破就不再是必要的策略，而是必須創造一個使電動汽車的缺點成爲優勢的新興市場。

電池技術的提升從何而來？回顧歷史，我們可以如此斷定。將電池技術提升爲客戶所需一百五十哩續駛距離的企業，必定是那些使用既有科技創造新價值網絡，而後研發延續性科技創新以轉往高階市場的企業。[20]依據我們的研究，管理良好的企業通常是積極向上移動、拒絕向下移動，因此開發電池技術的必定是最優秀的突破性科技創新者，他們在進入更大型、利潤更高的主流市場之前，必定會爲其電動汽車建立適合的低階市場。

突破性科技的通路策略

突破性產品也會重新定義主要的配銷通路，因爲經銷商的經濟模式——賺錢的模式——是由主流價值網絡所決定，廠商的經濟模式也是同樣的情形。新力推出的兼具可靠性與便利性的手提電晶體收音機與電視機，即是從高成本的家電或百貨公司以及領域服務價值網絡（眞空管機器所需），轉向量產導向、低間接成的折扣零售商。本田的突破性輕型機車也遭到主流機車經銷商的拒絕，迫使他們利用運動器材零售商建立新的配銷通路。我們可以看出，哈雷的輕型機車之所以失敗，正是因爲原有經銷商的反對；哈雷所收購的輕型義大利機車的形象與經濟模式不符合經銷商的價值網絡。

突破性科技之所以促成新的配銷通路，其實是源自於經濟面的因素。零售商和通路有非常明確的營運模式，就如同第四章所述的 Kresge 和 Woolworth 案例。某些企業銷售低產量的高價產品以賺取高額的溢價；有些則是採取低價量產的方式，所賺取的利潤只能剛好支付最低的營運間接成本；有些則是藉由服務先前所銷售的產品賺取利潤。如果突破性科技不符合既有企業利潤提升模式之時，同樣也不適合通路的經濟模式。

我的電動汽車計畫基本前提，是重新找尋新的經銷通路。除非獲得證實，否則我敢打賭汽車廠商不會認爲我所重視的電動汽車對他們的成功有任何的重要性。

適合突破性科技的組織形式

在確定電動汽車屬於突破性科技；設定找尋新市場的方向；爲產品設計、科技與通路擬定好策略之後，接下來我必須將焦點轉向組織本身。成立一個適合研發突破性科技的組織是相當重要的，因爲既有企業的理性資源分配流程會否決突破性科技所需的資源，即使資深經理人決心支持這項計畫也沒有任何助益。

成立獨立的組織

如同第五章所討論的，在突破性科技上站穩腳步的既有企業，都是在母公司之外另行成立一個獨立、營運自主的子公司。昆騰、Control Data、IBM的個人電腦事業部、AB和惠普的桌上型噴墨印表機的成功，都是因爲他們創造了一個符合突破性科技商業化模式的組織；這些企業在新興價值網絡中內嵌了一個相符的組織。

身爲一位專案計畫經理，我必須強烈要求組織的管理階層，另行成立一個獨立的組織主導電動汽車商業化的計畫，可以是如通用汽車的Saturn事業部、IBM個人電腦事業部的大型組織，或是收購一家小型公司。在獨立的組織中，我轄下的優秀員工可以專心研發電動汽車，而不需擔心因爲客戶的壓力使得計畫遭到駁回。另一方面，來自我們本身客戶的需求會促使我們更願意投注心力，專心研發。

獨立的組織不僅讓資源依賴的現象轉而對我們有利，也能接受小型市場的成長與獲利規模。在未來的幾年內，電動汽車的市場規模仍會非常地小，因此對於主要汽車廠商的損益平衡表的財務底線或上限不會有實質的助益。也因爲如此，資深經理人並不會優先將注意力或資源投注在電動汽車計畫上，最聰明的工程師也不願意參與這樣的計畫，因爲這對他們本身沒有任何的好處：爲了確保自己的未來，他們自然會積極加入主流計畫，而非邊緣計畫。

新事業開始的最初幾年，訂單的數量是以百台計，而非數萬台。如果我們有幸獲得勝利，也只是一項極小的成就。在獨立的小型組織，小小的成就即可激發大家的鬥志與活力。但在主流企業，他們無法理解爲何我們要如此地辛苦。我希望是由我們組織的客戶來決定是否應該繼續，我不希望將寶貴的管理能力消耗在抵抗主流企業的效率分析。

創新必定會遭遇風險與不確定性。我必須確定我所擬定的方向被所有人接受，他們都相信這是組織爲達到更高成長與獲利所必須採行的策略。如果所有人都支持我的決定，當有不可避免的問題發生時，組織全體便願意與我共同努力去化解。如果我的計畫被核心人士認爲對組織的成長與獲利毫無貢獻，或是覺得會侵蝕組織的利潤，那麼即使這項計畫再簡單，也不會成功。

因此我有兩種應對方式：第一種是說服主流企業的人突破性科技是有利可圖的；或是成立一個組織，建立合適的成本結構，所有人也都認爲我的計畫正朝向成功的方向前進。

在小型的獨立組織中，我必須以不同的態度面對失敗。我們不可能首次出擊即獲得成功。我們要有接受失敗的彈性，但是必須是小規模的失敗，這樣我們才可以在不失信用的前提下持續嘗試。同樣地，忍受失敗的方式有二：改變主流企業的價值觀或文化；或是成立新組織。要求主流企業忍受或接受風險和失敗的困難，在於當他們投資延續性科技變革時，絕不會接受行銷失敗的事實。主流企業積極地將延續性創新帶入客戶需求已知的既有市場，犯錯是不應該發生的事：這類型創新計畫事前已經過縝密的規畫，並徹底予以執行。

最後，我不希望我的組織擁有過於豐富的財力。我當然不希望我的員工必須承受極大的獲利壓力（這樣會使得我們徒然浪費精力在搜尋可立即獲利的大型市場），但是我會給予適度的壓力，讓他們盡快地找出辦法使組織轉虧爲盈。我們必須具備高度的動機，才能夠加速嘗試錯誤的學習過程。

當然，成立獨立公司的危險在於，某些經理人會將此一事業視爲萬靈丹，以爲可以解決所有的問題。事實上，成立獨立組織的方式只有在面對突破性科技時才能奏效。證據明顯指出，大型企業在研發與應用延續性科技上，也可以展現高度的創造力。㉑換句話說，創新的突破性程度決定了主流企業是否可以成功面對或是遭到挫敗的命運。

就圖5．6所示，電動汽車不只是一項突破性創新，它還牽涉多項架構的重新定義，不僅關係到產品，更影響了整體價值鏈。從製造到通路，各職能團體必須以不同於過去的方式相互合作。因此，我的產品需要由一個位在獨立組織內的重量級團隊來負責。這個組織的結構並不保證電動汽車計畫的成功，但至少可以讓我的團隊在一個支持突破創新原則的環境下愉快地工作。

註釋：

①爲了回應了廠商廠商的抗議，一九九六年時州政府決定將此法案延二〇〇二年實施。因爲依據現有的性能與成本，這些廠商認爲電動汽車的需求仍未成形。

②請參考：Dorothy Leonard-Barton, Wellsprings of Knowledge (Boston: Harvard Business School Press, 1995)。

③這份資料取自於一九九四年由The Dohring Company進行的一項調查，豐田汽車銷售公司（Toyota Motor Sales Company）於一九九五年六月二十八號參加由加州空氣空氣資源局在加州舉辦的一場關於電動汽車客戶市場性

座談會時，曾引用這份資料。

④這份資料由Dr. Paul J. Miller所提供，他是位在維吉尼亞州的W. alton Jones Foundation, Inc.的資深能源會員。請參考：Frank Keith, Paul Norton, and Dana Sue Potestio, Electric Vehicles: Promise and Reality (California State Legislative Report [19], No. 10, July, 1994): W. P. Egan, Electric Cars (Canberra, Australia: Bureau of Transport Economics, 1974): Daniel Sperling, Future Drive: Electric Vehicles and Sustainable Transportaion (Washington, D. C.: Island Press, 1995): William Hamilton, Electric Automobiles (New York: Mcgraw-Hill Company, 1980)。

⑤依據圖10．1所示，如果未來的性能提升速度不變的話，突破性電動汽車要進入主流市場還有一段遠路要走。當然過去的性能速度並不代表未來可能的提升速度，科技有可能遭受到無法跨越的障礙。然而我們可以確定的是，突破性科技工程師化解這些難題的決心，絕不下於主流企業拒絕進入低階市場的堅持。但是如果現有的性能提升速度維持不變，我們預計電動汽車的續駛距離會在二〇一五年達到主流市場的需求，而電動汽車的加速度會在二〇二〇年達到主流市場的需求。當然更重要的是，突破性創新者必須找到重視電動汽車產品屬性的新市場，而不是等待科技能力提升到符合主流市場需求時。

⑥這段話是由福特汽車的電動汽車計畫主任華勒斯在一九九五年六月二十八號參加由加州空氣資源局所舉辦的一場關於電動汽車客戶市場性座談會時所提出。

⑦既有企業必定會將所有的創新計畫導向主流客戶的需求，不論是延續性或突破性創新。我們已在本書看過許多的例子：例如在機械挖土機產業，Bucyrus Erie試圖將其運用液壓技術的Hydrohoe產品銷售給主流的挖掘承包商；在機車產業，哈雷希望透過既有的經銷網絡銷售低階產品；在電動汽車產業的例子，克萊斯勒將重達一噸的電池裝設在廂型休旅車上。佛傑森（Charles Ferguson）和莫利斯（Charles Morris）在其合著的《電腦大戰》

（Computer Wars）一書中，他們提到了ＩＢＭ如何商業化精簡指令集電腦（RISC）的微處理器技術。精簡指令集電腦是由ＩＢＭ所發明，當他們將精簡指令集晶片安裝在電腦上之後，便發現其速度快得驚人。於是ＩＢＭ便投入大量的時間、金錢與腦力，全力研發如何在迷你電腦內安裝精簡指令集晶片。但是這項計畫從未成功。這群研發小組不得不黯然地離開ＩＢＭ，最後卻成了RISC晶片製造商MIPS與惠普的RISC晶片事業部的靈魂人物。他們之所以會成功，是因爲他們找到了新的應用市場——工程工作站。ＩＢＭ的失敗是因爲強行將這項產品推入既有的主流市場。有趣的是，ＩＢＭ後來也成功地推出自己的工程工作站，並在RISC晶片的事業上有了不錯的成績。

⑧請參考：Gary Hamel and C. K. Prahalad, "Corporation Imagination and Expeditionary Marketing," Harvard Business Review, July-August, 1991, 81-92。

⑨請參考：Rita G. McGrath and Ian MacMillian, "Discovery-Driven Planning," Harvard Business Review, July-August, 1995, 44-54。

⑩Jeffrey Thoresen Severts, "Managing Innovation: Electric Vehicle Development at Chryster." Harvard Business School MBA student paper, 1996。

⑪葛羅的談話是回應加州空氣資源局規定自一九九八起，州內所有銷售汽油汽車的企業，其在加州境內銷售總量中必有百分之二爲電動汽車。但是州政府在一九九六年時決定將實施市期延至二〇〇二年。

⑫這段談話是克萊斯勒領域銷售事業部的銷售總經理葛羅在參加加州空氣資源局於一九九五年六月二十八號於加州舉辦的電動汽車客戶市場性座談會時，所發表的演講。

⑬同上。

⑭請注意這些統計數字反映了克萊斯勒對商業化突破性科技的努力程度；這些汽車都不是原生的電動汽車。特定

爲不同的應用而設計的電動汽車，如通用汽車的產品，其續駛距離可達一百哩。請參考：Jeffrey Thoresen Severts, "Managing Innovation: Electric Vehicle Development at Chrysler," Harvard Business School student paper, 1996。

⑮請參考：Gabriella Stern and Rebecca Blumenstein, "GM Is Expected to Back Proposal for Midsize Version of Saturn Car," The Wall Street Journal, May 24, 1996, B4。

⑯關於突破性科技的案例還包括桌上型影印機、手術用裝訂器、手提電晶體收音機與電視機、螺旋掃描VCR、微波爐與氣泡噴墨印表機等。以上的每一項科技都在其原生市場與主流市場取得了領導地位，其所具備的簡單性與便利性正是最大的優勢。

⑰爲了達到符合主流市場的設計，必定要花費時間不斷地嘗試錯誤，關於此點會在本章稍後的內容提到。

⑱這段談話是福特的華勒斯在參加加州空氣資源局於一九九五年六月二十八號於加州舉辦的電動汽車客戶市場性座談會時，所發表的演講。

⑲這段談話是克萊斯勒領域銷售事業部的銷售總經理葛羅在參加加州空氣資源局於一九九五年六月二十八號於加州舉辦的電動汽車客戶市場性座談會時，所發表的演講。

⑳請參考：Ralph E. Gomory, "From the 'Ladder of Science' to the Product Development Cycle," Harvard Business Review, November-December, 1989, 99-105: Lowell Steele, "Manager's Misconceptions About Technology," Harvard Business Review, 1983, 733-740。

㉑請參考：Marco Iansiti, "Technology Integration: Managing Technological Evolution in a Complex Environment," Research Policy 24, 1995, 521-542。

第十一章

最後的提醒

在不斷追求企業成長與利潤的過程中，某些成功企業的優秀經理人運用了絕佳的管理技巧，最後仍逃脫不了失敗的惡運。他們所具備的能力正是應付延續性創新的最佳利器，但是經理人必須認清這些能力、文化與流程，只適用於某些情況。

本書最重要的結論，是更優秀的管理、更努力的工作、不要犯太多愚蠢的錯誤，都不是解決創新困境的良方。這樣的發現之所以令人興奮，因爲我至今仍未遇到過比我認識的經理人更優秀、更聰明、更努力工作的團隊。如果更優秀的人才是解決突破性科技的最後答案，那麼兩難的情況眞的是個難解的謎。

從本書我們得知，在不斷追求企業成長與利潤的過程中，某些成功企業的優秀經理人運用了絕佳的管理技巧，最後仍逃脫不了失敗的惡運，但是企業也不應該因爲在突破性科技變革時遭遇失敗，便將所有促使其在主流市場成功的能力、組織結構與決策流程全部捨棄。他們所面對的創新挑戰多數仍屬於延續性科技，其所具備的能力正是應付這些挑戰的最佳利器。重要的是經理人必須認清這些能力、文化與流程，只適用於某些情況。

我發現許多生命的道理其實都非常的簡單。我們不妨回顧一下，本書所提出的許多原則乍看之下似乎是違反常理，但深入思索後，這些洞見就顯得極爲簡單而合理。本章我將本書做一個總結，希望這些原則能對困於創新的兩難的讀者有些實質的幫助。

第一，市場需求或可吸收的進步速度與科技供給的進步速度會有所不同。換句話說，無法吸引現有客戶的產品（也就是突破性科技）也許在日後便可符合主流客戶的需求。在認清這項可能性之後，我們便不能期望由客戶引導我們朝向他們所不需要的創新方向發展。因此，在面對延續性創新時，貼近客戶需求是很重要的管理原則；但是在面對突破性科技時，卻有可能因此而誤導企業。軌道圖可以協助企業正確地研判情勢，並指明企業所面臨的眞實情況。

第二，管理創新模式反映了資源分配流程：得到所需資金與人力的創新提案比較容易成功；那些資源分配重要性較低的——不論是正式或非正式的安排，極度缺乏資源的計畫其成功的機會就非常渺茫。管理創新的困難在於資源分配流程的複雜度，公司的主管雖然可以做最後的決定，但是執行的決定權掌握在那些才智與直覺符合企業主流價值網絡的員工手中；他們知道該如何做才能提升組織獲利，維持組織的成功就需要員工持續地培養這種才智與直覺。但這也意味著，除非其他更具獲利前景的計畫消失不見或遭到取消，否則經理人很難將資源分配給突破性科技計畫。

第三，除了資源分配的問題外，找尋新市場是另一個問題。成功的企業已經知道如何將延續性科技引進市場，不斷地提供客戶所需的更好產品版本。但是面對突破性科技時，這項策略就失靈了。多數既有企業的做法是盲目提升突破性科技性能以符合主流市場客戶的需求——如硬碟廠商、挖土機廠商和電動汽車廠商，但最後都遭到失敗的命運。較佳的選擇是尋找一個重視突破性科技屬性的新市場。突破性科技應被視爲一項行銷挑戰，而非科技挑戰。

第四，多數組織的能力比起經理人所想的還要受到限制。這是因爲其所具備的能力是內建於特定的價值網絡中。組織有能力將特定的新科技引入特定的市場內，但是卻無法運用其他方式將科技引入市場。組織有能力忍受某些類型的失敗，卻無法忍受其他類型的失敗。他們有能力在某種毛利水準下營運，卻無法在另一種毛利水準下營運。他們有能力在某種量產規模與訂單數量下創造獲利，但是卻無法在不同的量產與客戶規模下創造獲利。

這些能力——包括個人與組織——是由過去所經歷的問題類型所定義與塑造，這些能力的本質也是由組織與個人所位在的價值網絡特性所決定。突破性科技所創造的新市場需要的是完全不同的能力。

第五，在許多案例面對突破性科技時，投資決策所需的資料付之闕如。企業必須採取快速、低成本而有彈性的做法，不斷嘗試錯誤。最大的風險在於突破性科技的產品屬性或市場應用有可能被證明爲無用。因此在追求突破性科技的成功時，失敗與相互的學習是必要的。在面對延續性科技時無法忍受失敗的成功企業，在面對突破性科技時同樣無法接受失敗。

雖然突破性科技的構想「死亡率」非常地高，但是爲突破性科技創造新市場的風險並沒有特別地高。經理人不應投注全部的資源，必須保留一定的空間讓組織快速地嘗試、失敗與學習，才能累積商業化突破性科技所需的相關客戶、市場與技術知識。

第六，選擇永遠擔任領導者或追隨者都不是明智的做法。企業必須分辨自己所面臨的是突破性科技或是延續性科技創新，再決定所要採取的定位。突破性科技具有先進者優勢的特性，取得領導地位是成功的關鍵。但是面臨延續性科技時就不一定如此。證據顯示，選擇遵循既有的漸進提升軌道以改善傳統科技性能的企業，與那些選擇採取大躍進方式取得產業領導地位的企業，兩者都一樣成功。

第七，也是最後一點，本書提到會有所謂的進入或移動門檻，不同的經濟學家有不同的分類與定義。多數的分析都認爲與具體事物（things）有關，也就是難以取得或複製的資產或資源。①小型新進企業爲突破性科技建立新興市場之後，最有力的保護就是他們所從事的事業對於既有企業來說毫無意義。不論是技術提升的努力、品牌信用、製造能力、管理經驗、完整的通路或是充足的現金，人才濟濟的成功企業在執行不符合其營運模式的計畫時，仍是困難重重。雖然及早進入是成功的關鍵，但率先投資突破性科技對於既有企業來說是沒有意義的；因此既有企業的傳統管理智慧便形成了進入與移動門檻，也爲創業家或投資者創造了機會。

但是既有企業仍可打破這層障礙，因爲延續性與突破性科技的相互衝突的需求而造成的兩難窘境仍可獲得化解。經理人首先必須了解這些衝突的本質，而後創造一個體系，使得內部的每一個組織的市場定位、經濟結構、研發能力與價值觀能與客戶的影響力量相互協調，使其協助而非阻礙延續性或突破性創新者的工作。希望本書能夠提供實質上的幫助。

註釋：

①所謂的具體事物，我指的是獨有的技術；具備大型最低效能製造規模的昂貴製造工廠；主流市場中最強勢通路的優先購買權；關鍵物料或人力資源的獨占權；品牌所具備的信用與商譽；累積的製造經驗以及／或難以企及的規模經濟力量等等。請參考：Joseph Bain, Barriers to New Competition (Cambridge, MA: Harvard University Press, 1956): Richard Caves and Michael Porter, "From Entry Barriers to Mobility Barriers," Quarterly Journal of Economics (91), May, 1977, 241-261。

國家圖書館出版品預行編目資料

創新的兩難／Clayton M. Christensen 著　吳凱琳　譯
-二版-台北市：商周出版；城邦文化發行；2007（民96）
面：公分. -（新商叢：76）
譯自：The Innovator's Dilemma
ISBN 978-957-667-610-9（平裝）；957-667-610-X（10碼）
1. 企業管理　2. 組織（管理）　3. 職場成功法
494.1　　89005803

新商業周刊叢書　76

創新的兩難

原書書名／The Innovator's Dilemma
原出版社／Harvard Business School Press
著　　者／Clayton M. Christensen
譯　　者／吳凱琳、陳琇玲
總 經 理／陳絜吾
副總編輯／王筱玲
責任編輯／陳美靜

發 行 人／何飛鵬
法律顧問／台英國際商務法律事務所羅明通律師
出　　版／商周出版
城邦文化事業股份有限公司
台北市中山區民生東路二段141號9樓
電話：(02)2500-7008 傳真：(02)2500-7759
E-mail：bwp.service@cite.com.tw
發　　行／英屬蓋曼群島商家庭傳媒股份有限公司　城邦分公司
台北市104民生東路二段141號2樓
讀者服務專線：0800-020-299
24小時傳真服務：02-2517-0999
讀者服務信箱e-mail：cs@cite.com.tw
劃撥帳號：19833503
戶名：英屬蓋曼群島商家庭傳媒股份有限公司城邦分公司
香港發行所／城邦（香港）出版集團有限公司
香港北角英皇道310號雲華大廈4/F，504室
電話：(852)2508-6231　傳真：(852)2578-9337
馬新發行所／城邦（馬新）出版集團【Cite(M)Sdn. Bhd.(458372U)】
11, Jalan 30D/146, Desa Tasik,
Sungai Besi, 57000 Khala Lumpur, Malaysia.
電話：603-9056 3833　傳真：603-9056 2833
e-mail：citekl@cite.com.tw

■2000年(民89) 6月初版
■2011年(民100) 7月二版4刷

定價／300元

商周出版

廣　告　回　函
北區郵政管理登記證
北臺字第10158號
郵資已付，免貼郵票

104　台北市民生東路二段141號2樓

英屬蓋曼群島商家庭傳媒股份有限公司城邦分公司　收

請沿虛線對摺，謝謝！

商周出版

書號：BW0076X	書名：創新的兩難

請於此處用膠水黏貼

商周出版

讀者回函卡

謝謝您購買我們出版的書籍！請費心填寫此回函卡，我們將不定期寄上城邦集團最新的出版訊息。

姓名：________________

性別：□男　□女

生日：西元________月________日________

地址：________________

聯絡電話：________________　傳真：________________

E-mail：________________

職業：□1.學生 □2.軍公教 □3.服務 □4.金融 □5.製造 □6.資訊 □7.傳播 □8.自由業 □9.農漁牧 □10.家管 □11.退休 □12.其他________

您從何種方式得知本書消息?

□1.書店□2.網路□3.報紙□4.雜誌□5.廣播 □6.電視 □7.親友推薦 □8.其他________

您通常以何種方式購書?

□1.書店□2.網路□3.傳真訂購□4.郵局劃撥 □5.其他________

您喜歡閱讀哪些類別的書籍?

□1.財經商業□2.自然科學 □3.歷史□4.法律□5.文學□6.休閒旅遊 □7.小說□8.人物傳記□9.生活、勵志□10.其他________

對我們的建議：

____

____

____

____

請於此處用膠水黏貼